EDWARD REDLIŃSKI
AWANS

EDWARD REDLIŃSKI

AWANS

Prószyński i S-ka

Projekt okładki
Maciej Sadowski

Redakcja
Jan Koźbiel

Redakcja techniczna
Anna Troszczyńska

Korekta
Mariola Będkowska

Łamanie
Małgorzata Wnuk

*. _ 5197398

ISBN 978-83-7469-463-6

Wydawca
Prószyński i S-ka SA
02-651 Warszawa, ul. Garażowa 7
www.proszynski.pl

Druk i oprawa
Drukarnia Naukowo-Techniczna
Oddział Polskiej Agencji Prasowej SA
03-828 Warszawa, ul. Mińska 65

Ech, te nasze rzeki nizinne... Gnuśne, powolne. Lada jak płynące, na oślep. Po chłopsku. Byle przed siebie. Ot, rozwalić się na topielisku, powygrzewać w szuwarach... Zatoczyć się w lewo... i jeszcze w lewo... Powałkonić na szerokiej płyciźnie. Obalić się w prawo... Na zastoisku podumać, w ciszy, nieruchomej, rozparzonej. Na mokrym liściu żaba śpi. Na gałęzi wrona ziewa. Łoś moknie w tatarakach – kajak zoczywszy, nie ucieka – pogapi się chwilę i czochra się dalej o wierzbę. Nawet ryby, nawet one ledwo, ledwo przeginają się w nurcie. Spokój, bezwład, lenistwo – tylko ja i mój kajak czegoś tu chcemy, do czegoś dążymy, przebijamy się dokądś skroś oczerety, bluszcze, żabią rzęsę...

Wiedziałem, że droga nie będzie łatwa, że lasy są półdzikie, nietrzebione. Ale takiej pierwotności, takiej dziczy nie przewidywałem! Sądziłem, że dobrnę do celu przed południem. Tymczasem słońce pokonało już trzy czwarte swej dziennej marszruty, zjeżdża ku zachodowi, moje wiosło pluska miarowo to z lewa, to z prawa, ale cóż z tego. Sto zakrętów minąłeś, sto topielisk przebrnąłeś – i oto dąb wyniosły znowu zielenieje jak zieleniał przed tobą godzinę temu, tyle że już po lewej, a nie prawej stronie!

I wciąż, wciąż ziejąca szmaragdowym mrokiem knieja, rozszeptana życiem i gniciem puszcza! Zwalone drzewa, pnie takie, że rękoma w ćwierci byś ich nie opasał, butwieją bezpańsko, marnują się – podczas gdy gdzieś tam ludzie jedzą zimną strawę, bo nie mają co wrzucić do pieca. Daremnie szukam oczyma jakiegokolwiek śladu gospodarskiej ręki. Natura jest tu leśnikiem, rybakiem, hodowcą – ślepa, bezrozumna natura! Wagony drewna, tony siana, ciężarówki ryb i mięsa spalają się rozrzutnie w bezcelowym kołowrocie przyrody. Gdzieś tam w świecie, nawet nie tak dalekim, ludzie nawadniają już pustynie, zalesiają stepy, topią lodowce. A tutaj... Ech, niełatwe, niełatwe czeka mnie zadanie...

Oczerety ustąpiły wreszcie, brzegi się podniosły, pojawiły się na nich sosny i brzozy. Z daleka doleciało przeciągłe kwilenie – zrazu myślałem, że to jakiś ptak puszczański nawołuje, ale nie, to była fujarka, pewno dziecię chłopskie przygrywało sobie za krowami. Znak, że zbliżam się do wsi. Jakoż i wkrótce, pokonawszy ostatni zakręt, ujrzałem śródleśną kotlinkę: rzeka rozlewała się tu szeroko na płyciźnie. Z prawej czerniał bór poprzetykany czerwono jarzębinami, po lewej bielała piaszczysta skarpa zagracona domostwami. Nareszcie!

W kotlinie wisiała ciepła cisza, podbijana od spodu kijankami: dwie baby klepały przy brzegu szmaty – moczyły, wykręcały, coś pośpiewywały, podkasane spódnice odsłaniały kolana białe, nieopalone. Płynąc cicho po drugiej stronie, pod nawisami leszczyn, przyglądałem się wioszczynie. Widok przypominał dziewiętnastowieczne landszafty. Georginie i malwy płonęły w ogródkach na tle bielonych ścian. Ściany te przykryte były strzechami jak czapami, za dużymi, czarnymi. Nad strzechami kłębiły się korony starych klonów z bocianimi gniazdami. Obrazu dopełniały jabłonki, pokropkowane dojrzałymi owocami. Bosa babina w długiej spódnicy pędziła ze skarpy ku rzece stadko czerwonodziobych gęsi. Oczy skoczyły ku znajomej chacie... ta przedostatnia... rety, jaka maleńka! Mech pokrywał strzechę zielonym pluszem, bielony dymnik sterczał jak purchawka...

Skręciłem w poprzek rzeki. Na przyzbie siedzieli dwaj starcy: wsparci na kosturach wygrzewali się w ostatnich promieniach lata. Drzemali. Jednemu czapka zjechała na oczy, drugi w kapeluszu był, oklapniętym – kapeluszysko owo przykrywało mu nie tylko ciemię i skronie, ale i oczy, nos, uszy.

Przybiłem do brzegu, wyciągnąłem kajak na piach.

Ten w kapeluszu poruszył się.

– Uff... – sapnął. – Macieju...

– Ehe? – mruknął ten w czapce, głowy nie podnosząc.

– Zdaje sie... uff... zdaje sie, jakby coś po rzyce chlupie – wystękał ten w kapeluszu. – Odymknijcie ocy, Macieju, obaćcie, co...

Wyjąłem z kajaka rzeczy i ubierając się, obuwając, słuchałem dialogu. Z wielu ważnych powodów interesował mnie poziom umysłowy tutejszych wieśniaków.

– Yy, co bede odmykał – wysapał ten w czapce, Maciejem nazwany. – Musi co krowy wracajo z wygona...

– Yy, musi nie krowy...

– To owiecki, Jędrzeju.

– Owiecki? – stęknął ten w kapeluszu, Jędrzejem nazwany. – A cemuz oni nie beco, jak oni owiecki?

– Nie beco, bo niebekliwe – odparł Maciej. – A cy krowa cięgiem rycy? Nie cięgiem!

– Krowa, co duzo rycy, mało mleka daje! – rzekł Jędrzej.

– O to to, Jędrzeju, o to to! Tak samo z chmuro i dyscem: z duzej – mały.

Na to Jędrzej:

– Co do dyscu, to jedno wam powiem, Macieju: jaskółka nisko, on – blisko!

– Wiem, wiem – wyznał Maciej. – Blisko. Dysc. A co na dysc i słoty?

– Bierz dziurawe boty!

– A kozuch? Co z kozuchiem?

– Nie zdymaj! Do Świętego Ducha nie zdymaj kozucha!

– A po Świętym Duchu? – sprawdził Maciej.

– Chodź dalej w kozuchu! – rzekł Jędrzej.

– O to to to! – pochwalił Maciej. – Chodź dalej w kozuchu.

– Bo od świętej Anki zimne wiecory i ranki! – pogłębił problem Jędrzej.

– Ale jak Barbara po lodzie, Boze Narodzenie po wodzie! – zauważył Maciej.

– A jak Barbara po wodzie, Boze Narodzenie po lodzie! – odciął się Jędrzej.

– Na Kazimiera zima umiera! – przyciął Maciej.

– A na Grzegora idzie do mora! – skontrował Jędrzej.

– Idzie?

Maciej się zacietrzewił. Czapka zjechała mu na nos, z nosa na wąsy, spod daszka było widać tylko spracowaną chłopską gębę, jak się zamyka i rozdziawia.

– Idzie? Idzie, jak wes po Zydzie! – huknął.

7

– A wy mnie, Macieju, chodzenia nie ućcie! – fuknął Jędrzej. – Ja i bez was wiem, co chodzić trza prosto. Kto prosto idzie, dalej zajdzie!

– E tam! – zlekceważył Jędrzeja Maciej. – Kto ścieżki prostuje, w domu nie nocuje!

– Nie nocuje? Wy mnie noco, Macieju, nie straście. Ja wiem, co w nocy wsytkie koty carne!

– A wy mnie, Jędrzeju, kotami nie straście. O kotach to ja wam powiem tyle: kot im starsy, tym ogón twardsy!

– To i co? – zlekceważył pogróżkę Jędrzej. – Twardsy tyn ogón cy mięksy, a i tak sie pod tym ogonem kotu nie zagoi!

– Nie? – zaperzył się Maciej. – To ja wam powiem, ze zagoi sie! Zagoi sie! A wiecie kiedy?

– No, no?

– Jak dysc bedzie z ziemi do nieba padał, he he he he!

– E tam, dysc... – parsknął Jędrzej spod kapeluszyska. – O dyscu to ja wam powiem tyle: jaskołka nisko – on blisko. Ot, co!

– Nu, prawda... – zgodził się Maciej. – Święta prawda: dysc blisko, jak ona nisko. A co na dysc i słoty?

– Co na dysc i słoty? – powtórzył pytanie Jędrzej. – Ha, ja wam zara powiem, Macieju, co na dysc i słoty. Na dysc i słoty bierz dziurawe...

– To już było, panowie! – przerwałem wieśniakom ludowy dialog. Wyprostowali się, poprawili czapczyska: wśród tygodniowej szczeci błysnęły oczy. Patrzyli na mnie ciekawie. Czekałem.

– O Jezu! – zawołał ten w czapce. – Cy ja dobrze widze? Maniuś?

– Nie, nie Maniuś – odpowiedziałem uroczyście. – Marian! Marian Grzyb, magister!

– Maniuś! – zawołał stary, zrywając się z przyzby, do witania ruszył... ale zatrzymał się onieśmielony. – Hej, Jańcia! – zawołał w głąb podwórza. – Maniek przyjechał!

– Aha, ucyć... – skrzywił się Jędrzej. – A ja juz dumał, co latoś tyj skoły nie bedzie...

Przybiegła wieśniaczka, ręce rozwarła do witania.

– Maniuś, Maniuś! – załkała. – Synecek kochany! Aj, słonecko moje... Ale ucichła, ręce opuściła. Przyglądała mi się z respektem.

– Jezu, okulary! – szepnęła. – Jaki ucony...

Uścisnąłem dłoń matce – zwyczajnie, bez cmoknonsensów, sentymentalnych ceremonii. Podałem rękę ojcu oraz sołtysowi.

8

– Nu trudno – rzekł Jędrzej, drapiąc się po głowie. – Pojde sykować skołe...

Odszedł. Nie wyglądał na zachwyconego moim przybyciem.

My udaliśmy się do chaty. Oczywiście, odzwyczajony od chłopskiego budownictwa, głową o futrynę zawadziłem. Przez zagraconą sień, zdeptany próg weszliśmy do izby. Z garnków parowało. Pachniało ziemniakami. Bielone piece... Ławy... Cebrzyki w kącie... Krzywa gliniana podłoga...

– Bedzies pomieskiwał w alkiezu! – oznajmiła matka i weszliśmy do drugiej izby, odświętnej. Otworzyłem okno, bo duszno było, i rozejrzałem się po wnętrzu z ciekawością.

Ogromny, zdobiony kufer zajmował jeden kąt, a drugi łóżko: wyładowane haftowanymi poduszkami, poduszeczkami, kończyło się pod sufitem, zresztą niewysokim. Na parapetach, na ławie, na podłodze stały donice z kwiatami – mirty, jałowczyki, pelargonie, asparagusy i Bóg wie jakie jeszcze ziela pięły się po rózgach i sznurkach aż do pułapu, zwisały po ścianie zielonymi wiechciami. Podłogę zdobiły samodziałowe chodniki, a ściany – makatki i święte obrazy. Na półeczce tłoczyły się gliniane aniołki, lwy, jelenie...

Ja izbę oglądałem, oni mnie.

– Jaki wazny! – zachwycała się mną matka, ręce skrzyżowawszy na fartuchu. – O, tera my nie damy sie Błazejom, nie!

Ojciec podszedł do okna i pogroził w stronę stryjowego domostwa za płotem.

– Nu, Błazej, tera sie sprobujem, kto mocniejszy! – warknął mściwie.

– Ty, Maniuś, nas obronis! – złożyła ręce matka.

– Nu, pewno, mafister! – rzekł ojciec z dumą. – Skarge napise do marsałka, zeb Błazejom ziemie zabrać – i zabioro!

Zwróciłem ojcu uwagę, że nie przyjechałem tutaj na spory o miedzę. Obruszył się.

– Nu co ty? Toć od ciebie sie zaceło!

– Ode mnie?

– Co, zabył sie? – rzekł oburzony. – Nie pomnis, jak ty gruski rwał, o te! – I wskazał gruszę za oknem.

Wyjrzałem... A jakże – rosła! Może mniejsza, niż się kiedyś wydawało, może mizerniejsza, ale na tym samym miejscu tkwiła co kiedyś: pośrodku, między dwiema chatami, stryjową i naszą.

– Nie pomnis, jak cie Błazej za te gruski złoił? – ciągnął ojciec.
– Nu, a potem ja strząchnoł z tyj grusy Błazejaka, najstarsego... na ziemi kijami poprawił... i tak jakoś wysło, ze chłopca pochowali...

– Wysło! – mruknąłem, mrocczniejąc na wspomnienie tej okrutnej historii... miałby dziś Antoś dwadzieścia dwa lata, tyle co ja.

– Nu i Błazej zawzioł sie zgładzić syna za syna... – wspominał głośno ojciec. – Wleciał raz do nas z siekierko, noco, ale po ciemku na Jadzie trafił, nie na ciebie...

– Uciekłem, trafiłem do szkół, wyuczyłem się, wróciłem i nie zamierzam babrać się w starych sprawach – oznajmiłem krótko, aby zakończyć nieprzyjemny temat.

– Ale nie wies, ze Jadzi było dla Błazeja mało – odezwała się matka. – Wleciał jesce raz z siekierko. I zabił barana.

– Barana?

– Dla sprawiedliwości. Dziewcyne zgładzić i barana na dokładke, to prawie jak chłopca – wyjaśniła.

Pięści same zacisnęły mi się z wściekłości. Święte obrazy, makatki... Malwy pod oknami. Krzyże na rozstajach. Skowronki, brzęczenie kos, pieśni żniwne, dzwony na Anioł Pański... Serca proste, ale szczere... A tak naprawdę?

– Miał sie ja od niego, miał sie i on ode mnie! – rzekł ojciec hardo.
– Na mazguja nie trafił!

– O, Maciej umie swojego dochodzić – pochwaliła matka. – Wies, co jemu wybił, temu bandycie? Zgadnij! E, nie zgadnies... Oko!
Zadrżałem.

– Oko?

– Kamieniem! – pochwalił się.

– Zara po Zielonych Świątkach – dodała matka. – W środe.

– Jak to? – spytałem ze zgrozą. – Wybiliście człowiekowi oko! Za nic?!

– E, za nic to nie...

– Więc za co?

– A bo on me ogłusył...

– On?

– A zaleciał od tyłu, kropnoł me kołkiem w łeb. I ogłusył!

– Za nic tak was kropnął?

10

– Całkiem za nic to nie... Za swoje babe.
– A co wyście jej zrobili?
– A nic... Ot, ździebkom jo przetrącił po łydach.
– Podkulawiliście kobietę! I za co?
– A bo ona do nasego kurnika wesła!
– Po co weszła?
– A po genś!
– Po waszą?
– E, nie. Po swojom.
– A co Błażejowa gęś w waszym kurniku robiła?
– A ja jo zajeła! – pochwaliła się matka.
– A po co było zajmować?
– A bo ona na nase wlazła i nasym gensiom pódjadała!
– Aha... Błażejowa gęś weszła na wasze podwórko i waszym gęsiom
podjadała?
– A nu! – oburzyli się zgodnie.
– A wyście, matko, tę gęś zajęli?
– A nu!
– I wtedy Błażeicha przyszła ją odebrać?
– A nu! I zabrała!
– I wtedy wyście, ojciec, przetrącili Błażejowej nogę?
– A nu!
– I Błażej kropnął was za to kołkiem w głowę?
– A nu! Kropnoł i ogłusył, psiapara!
– I wyście mu za to oko wybili?
– A nu... Tak jakoś wysło – wyznał stary.
– Niechcący?
– Niechcący.
– A to nie celowaliście mu w głowę?
– Nu, po prawdzie, to w głowe.
– A nie w oko czasem?
– Zeb nie zełgać, powiem: w oko.
– Celowaliście w oko i nie chcieliście wybić?
– Wybić to moze i ja kciał. Ale nie oślepić...
– Oj, nie załuj hada! – żachnęła się matka. – A cy ty obydwa wy-
bił? Tylko jedne! Te drugie Lipki wybili, łońskiego roku!
– Aha... Lipki... Łońskiego roku... – powtórzyłem bezsilnie.

– Ale nie całkiem wybili – dokończył stary. – Tyle co do roboty to widzi. Nu to cegoz. A zresto babe ma mocne, baba jemu robi... I chłopcy pódrastajo!

– Niebezpiecne juz! – dodała matka. – Ale nic to, we troje my juz im damy rade, w razie cego chycis, Maniuś, siekierke i juz! Aj, słonecko moje! Kwiatusek ślicny! Robacek jedyny!

– O, nie! – oświadczyłem zdecydowanie. – Nie chcę mieć z tym wszystkim nic wspólnego! Rozumiecie?

– No no! – nastroszył się stary. – Toć z ciebie to wsytko... Ty gruski rwał!

– Nie, nie wciągniecie mnie w swoje awantury! Znajdę sobie kwaterę gdzie indziej, u kogokolwiek!

– Co? Co on gada? Ze nas ostawi? – Ojciec wstał, wziął się pod boki, wzburzony wielce.

– Synecku! – zawołała tkliwie matka.

– Jestem nauczycielem, a nie żadnym syneckiem, pani Grzybowa, czy to jasne?! – huknąłem. – I nie przyjechałem tutaj ani na rozboje i spory o miedze, ani na wspominki i serdeczności!

– Jezu! – jęknęła. – Urodzilim, wychowalim, a on tera chce nas, starych, ostawić!

– Wychowalim? Te przesądy, zabobony, pacierze – to wychowanie?

– Urodzilim cie!

– Bo parobek był wam potrzebny do pasienia krów i gęsi!

– Pocelim!

– Więcej przyjemności niż trudu!

– Maniek! – rzekł stary groźnie, pas odpinając. – Ucony ty cy nieucony, ale jak cie zara zleje, to ty, psiakrew, przestanies tu stawiać sie! Toz ty krew z krwi, kość z kości mojej!

– I mojej – upomniała się o swoje kobieta.

– A mnie się zdaje, że moje kości i moja krew są moje – odparłem krótko.

– Twoje? – rzekł stary i pas wyszarpnął. Krew mu nabiegła do twarzy – ze wściekłości, oburzenia, ohydy.

– O, nie! – oświadczyłem zdecydowanie. – Nie będę z wami mieszkał!

– Nie?

– Nie! Raczej wyjadę, niż wam się poddam, barbarzyńcy! Przysięgam!

– Synku! – zawołała kobieta błagalnie. – Synku!

– Bedzies z cudzymi zył? – spytał stary, tracąc rezon, ręka z paskiem opadła mu bezwładnie.

Prymitywni, okrutni – a przecież i oni prawdopodobnie mieli jakieś życie duchowe. Teraz na przykład wyglądali na ludzi przybitych, zranionych, cierpiących. Serce drgnęło mi współczuciem.

– Dobrze. Zgodzę się u was kwaterować – oznajmiłem. – Ale będę osobą urzędową! Nie będzie mi tu żadnych „synecku", „Maniuś", „a pomnis, jak ty był maluśki..." Będziecie się zwracać do mnie per „panie magistrze", ja do was „panie Grzyb", „pani Grzybowa". Za wyżywienie i pokój będę wam płacił – będę płacił, ale też będę wymagał!

– Jezu, do swojego syna: panie! – stęknęła Grzybowa, oczy wytrzeszczywszy nierozumne. – O, do cego na świecie dochodzi...

– Takiej hańby docekać... takiej hańby... – westchnął Grzyb i ni stąd, ni zowąd zachlipał. Ręką, tą samą ręką, która trzy miesiące temu cisnęła kamień w bratowe oko, tą ręką teraz oto łzy wyciera!

– Strasny! – rozchlipała się kobieta. – Barabas!

– Barabas... – zgodził się z nią stary. – Ale trudno, niechaj ostaje... Co majo na nim cudze zarabiać...

Zacisnąłem zęby, aby stłumić ckliwe uczucie żalu, przezwyciężyć niepotrzebny skurcz gardła. Jeśli mam coś tu zdziałać, nie utonąć w międzysąsiedzkich waśniach, rodzinnej mafijności, obyczajowych ceregielach, muszę być twardy, nieustępliwy.

– No to dość tej kultury ludowej, pani Grzybowa! – zadecydowałem, nie zwlekając ni minuty. – Oczyścimy pokój z rupieci!

I raz dwa, mimo jej sprzeciwów, pozdejmowałem z półek figurki, ze ścian obrazy – kazałem je wynieść z izby. Tak samo zlikwidowałem, ku jej rozpaczy, duszny zielnik. Poleciłem rozmontować łóżkową piramidę, precz wynieść jaśki i pierzyny... Grzybowa, pochlipując, wynosiła graty na strych i do komory. Grzyb poszedł na gumno...

Przyjmując mnie na stancję, Grzybowie nie robili bynajmniej złego interesu: kilkaset złotych miesięcznie spadało im oto jak z nieba. A nie jest to suma bagatelna w tutejszej biednej okolicy. Bo i z czego żyją tu ludzie, na tej wydmie wśród mokrych lasów, z dala od świata? Z lasu i z rzeki, grzybami, jagodami, rybami. Co czwartek niosą przez błota na targ w powiatowym miasteczku mizerne płody swojego zbieractwa. A przecież zanieść nie znaczy jeszcze sprzedać. Skąd więc mają brać grosiwo na naftę, zapałki, sól, cukier, na gwoździe, lemiesze, na podatki wreszcie? Od ust odejmują, byleby pud żyta czy worek kartofli sprzedać na jarmarku. O, nierzadko, gdy przednówek przycisnął, nalewką z szyszek, barszczem szczawiowym, mamałygą z komosy żywić się musieli, chlebem z kory dębowej, korzonkami leśnymi. Jeszcze najlepiej temu się udało, kogo drzewo za młodu skutecznie przygniotło, kogo woda litościwa wciągnęła w swe wiry bezpowrotnie. Kogo zwierz jaki grubszy, mimowolny altruista, zjadł lub chociaż rozszarpał.

Grzybowa wynosiła rupiecie, ja tymczasem przyniosłem plecak i walizkę. Rozpakowałem. Książki i przybory piśmiennicze położyłem na stole. Na półeczce po Matce Boskiej umieściłem przybory toaletowe, na gwoździu po Sercu Jezusowym zawiesiłem portret Mędrca – którego silna wola i zaangażowanie społeczne były i będą mi zawsze szczytnym wzorem, na haczyku po makatce – lusterko. A na parapecie stanął budzik.

Pod oknem gromadzili się powoli gapie – dzieci, parę bab i kawalerka. Pogadywali, wypytywali chmurnego Grzyba, komentowali. Chłopcy niby to mnie bojkotowali – niby stali z daleka, ot, tak sobie – a przecież obserwowali zawistnie, jak niosłem walizkę, wiosło... Wiem, woleliby, żebym spuścił z tonu, uległ, załamał się – przeszedł na komitywę... No bo czy to kiedyś nie łaziło się razem po drzewach, nie grało w chowanego, kręcę, gęsi do domu? O, na pewno wygodniej by im było ściągnąć mnie w dół, zdegradować, niż podciągać się do mego poziomu. Pół ludzie, pół niedźwiedzie... Łuszczyli słoneczniki, pogadując coś pospolitego: Włodek, Nasiadko, Cybulko, Pogorzelak, obydwa Łucyki, Gręboś – tacy sami jak dziesięć, piętnaście lat temu, nieskomplikowani, z rozdziawionymi na świat gębami, bez najmniejszej refleksji nad dialektyką przyrody, sensem bytu!

– Wybił sie! Nie poznaje! – poszeptywali między sobą. – Mafistra rźnie! Łuszczyli pestki i spluwali, kto dalej.

O kolacji przypomniałem kobiecie – po długiej mozolnej podróży jeść mi się chciało...

I o zmierzchu, gdy skończyłem porządki, Grzybicha wniosła i postawiła na stole jedną michę z parującymi ziemniakami, drugą z jakimś białym wodnistym płynem, oprószonym szczypiorkiem. Łyżka wielka, drewniana w nim tkwiła. Zaczerpnąłem, spróbowałem – ni jedno, ni drugie nie nadawało się do jedzenia.

– Dlaczego te ziemniaki nawet nie okraszone! – zawołałem, odkładając łyżkę.

– Toć piątek dzisiaj!

– A co mnie obchodzą wasze piątki!

– Jak to? – obruszyła się kobieta. – W piątek Pana Jezusa ukrzyżowali...

Wyjąłem z walizki podręcznik kulinarny.

– Płacę i wymagam, pani Grzybowa! Oto książka kucharska, i proszę mi gotować czysto, smacznie i z mięsem. Nie ja wam Pana Jezusa ukrzyżowałem! Grzybicha zajrzała w kartki z szacunkiem, jakby książkę do nabożeństwa przeglądała. Grzyb lampę wniósł, wykręcił knot – nieco pojaśniało w mrocznej izbie... Spojrzałem na niego, na nią – dreszcz jakiś przeskoczył mi po plecach... Rety, dokąd ja przyjechałem!

– A gdzie się u was chodzi? – spytałem, wstając od stołu, głodny i zły.

– A to niby... pan... mafister nie pomni? – mruknął wrogo wieśniak. Chudy, przygarbiony, w postrzępionych portkach, brudnej koszuli, przypominał stare wyliniałe ptaszysko, wysłużonego stracha polnego. Kobiecina, omotana chustką po oczy, w spódnicy długiej, łachmaniastej... Lampa... Koślawe zydle... Gliniana podłoga... Stłumiłem w sobie westchnienie, wyszedłem na dwór.

Zmierzchało... Wieś szykowała się do nocy: porykiwały na gumnach krowy, szczekały psy, pokrzykiwały dzieci, ale coraz senniej, ciszej... Minąłem domostwo stryja Błażeja, ostatnie we wsi, przede mną bielała wyniosła wydma. U jej podnóża kosmaciły się wzdłuż rzeki cherlawe sosenki. Z mieszanymi uczuciami skryłem się w krzakach, przykucnąłem i w tych niegodnych cywilizowanego człowieka okolicznościach popatrywałem w niebo, na ostatnie, kiczowate dekoracje gasnącego zachodu. Natura po raz niezliczony powtarzała swój spektakl, skompromitowany zresztą przez poetów i malarzy, owych pięknoduchów, co to malowali niebieściuchne oczęta, bajecznie kolorowe koszuliny – a krzywicznych nóg nie dostrzegali... Jurność i krzepę wiejskich dziewuch i kawalerczaków opiewali – ale na suchoty, tyfus i dyfteryt dziesiątkujące wiejską młodzież, na żylaki, płaskostopie i wady kręgosłupa oczy przymykali.

Wyszedłszy z krzaków, stanąłem nad wodą. Piach matowy, zwilżony rosą, zlewał się z mrokiem. Stary pień czerniał jak łeb wydobywającego się spod ziemi zwierza. Usiadłem na chwilę – podumać, a przy okazji organizm dotlenić, do snu przygotować. U stóp moich rzeka toczyła swe wody z ledwo dosłyszalnym szeptem. Ech, a rzeki? Iluż to artystów muzykowało, rymowało, malowało ich piękno, a czy który wspomina z raz o ofiarach strug i ruczajów? O topielcach wiejskich? O owcach, krowach, o chatach zrabowanych przez rozpasane strumienie? O zalanych polach?

Gałąź bezlistna, stercząca, okręcając się z wolna, sunęła z nurtem. Pod kępą chlapnęła głośno ryba. A może żaba... Z lewej coś plusnęło – plusk miarowy narastał, przybliżał się, jakby płynęło coś żywego, i to niemałego. Jakoż zabielały nad wodą ramiona, skóra żywo kontrastowała z szarzyzną wody i mroku. Ktoś płynął, prawdopodobnie człowiek. A komuż to chciało się moczyć nocą w wodzie nie za ciepłej, jesienniejącej? Osoba, podpłynąwszy do płycizny, stanęła na nogi... wyżymając włosy brodziła ku brzegowi. Bez ubrania, naga. Nie, nie była to osoba płci męskiej – wprost przeciwnie: choć zmierzch narastał, widać było cechy płciowe charakterystyczne dla kobiety, i to niestarej. Nieznajoma sięgnęła po leżącą na brzegu sukienkę i wdziewała ją przez głowę, prychając z zimna.

– A co ty dzisiaj taki niegadatliwy, a? – zagadnęła, rozczesując włosy. – Nie obłapies, nie powalis...

Milczałem zaskoczony. Najwidoczniej brała mnie za kogoś innego.

– Nu, Stach! – obruszyła się. – Co nie gadas do mnie!

Tupnęła nogą rozzłoszczona, aż jej wielkie piersi zakołysały się pod sukienką prymitywnie. Trzeba było zareagować.

– Czy to pani, pani Malwino? – zagadnąłem.

– O Jezu! – krzyknęła przestraszona. I, pokonując strach, nachyliła się nade mną. – Ach, to ty, Maniuś... – ustaliła mimo mroku i odetchnęła z ulgą.

– Ledwie panią poznaję... – wybąkałem, nieco zakłopotany, nie byłem przecież tym, na kogo czekała. – Bardzo się pani rozwinęła... Fizycznie.

– „Pani", „pani"! Coś ty tak spaniał przez te skoły! W wiosce gadajo, ze mafistra udajes...

Stała przede mną, wziąwszy się pod boki, bezwiednie eksponując swoje atuty płciowe.

– Nie udaję – odrzekłem spokojnie.

– Nie udajes? E tam, udajes, udajes... Jakby ty był mafister, to ho ho... Mój Stach nieucony, cytać nie umie, ale jak me chyci, od razu gorąco sie robi!

– Mogę okryć marynarką.

– Yy tam, marynarka... O, idzie, Stach, Stasiulek mój jedyny.

Jakoż usłyszałem kroki i złowieszcze posapywanie: osobnik rosły, wąski w pasie, szeroki w barach zaczerniał na tle nieba. Wstałem, by zostawić kochanków samych. Niestety, złapano mnie za orzydle.

– A, to ty, hadzie! – warknął osiłek, trzymając mnie za klapy. Wyprostowaną ręką jak dyszlem zaczął popychać ku rzece. – Okulary, co? Atramenty? Książki? I jesce dziewcyny mojej sie zachciało tobie, ancychryście!

– Ależ, kolego... – usiłowałem perswadować, daremnie! W osiłku ozwał się kompleks analfabety, nie mógł znieść Stach, poczciwy Stach, tego, że jego rówieśnik, awansowawszy z chłopstwa do inteligencji, przyjechał do wsi z cenzusem wyższej uczelni i będzie nauczycielem, podczas gdy on pozostał nadal wieśniakiem – i to wieśniakiem barbarzyńcą! Tak, barbarzyńcą, gdyż ściskając mi oburącz szyję, po barbarzyńsku dusić zaczął. Zastanawiałem się, charcząc, czy z kompleksem analfabety nie sprzęgła się w nim prostacka samcza zazdrość o kobietę. A Malwina, niestety, podjudzała w nim bestię.

– O ziem go! – wołała. – Jak Ignaca! Abo złam rękę, jak Antkowi! Wrzuć do wody, jak Zdzicha!

– Nie! – odparł oprawca. – Ja go, cha, cha, cha, uduse, jak hada!

I rzeczywiście, wzmocnił uchwyt, utrudniając mi oddychanie, oczy zaczęły mi wychodzić z orbit, co go wielce bawiło.

– Cha, cha, cha! – śmiał się. – Chodź, Malwina, zobac no, jak jemu gały wysadziło!

– Uduś! – sugerowała młoda barbarzynka. – Wrzucim do wody, spłynie i koniec!

– Nu pewnie! – cieszył się zwierzęcy jej kochanek. – Zgnije i bedzie spokój, a po chorobe nam ta jego skoła!

I spotęgował ucisk gardła, odcinając mi całkowicie dopływ tlenu do organizmu, co było tym straszniejsze, że nie mogłem przemówić ni do jego serca, ni do rozumu. – P-p-puść! – jęknąłem, ale cóż, gardło wydało jakiś charkot nieartykułowany, tchawica nie funkcjonowała. Ostatkiem sił ścisnąłem wrażą łapę, wykręciłem, szarpnąłem się, odskoczyłem.

– Ho, ho, jaki świarny! – zdziwił się prześladowca. I znowu ruszył na mnie ze swoimi łapami.

Cofnąłem się. Ale już, chichocząc, Malwina zastąpiła mi drogę: napędzali mnie ku rzece. Nie było wyboru, należało uchodzić. Skoczyłem, odtrąciłem barbarzynkę i niezwłocznie runąłem w ciemność... Szyderczy śmiech pędził za mną, para dzikusów cieszyła się moją klęską. Odbiegłszy, stanąłem pod Grzybową chatą, zdyszany.

Księżyc wzeszedł, wieś się uśpiła. Jakiś ptak nawoływał pod borem. A od wydmy sunęły szepty, jurne chichoty... Tak, to barbarzyńcy oddawali się prymitywnym pieszczotom. Także w trawie coś popiskiwało, chrzęściło zmysłowo – płazy jakieś, gady, a może chrząszcze. Bezrozumna natura dawała upust chuciom. Spojrzałem po chatach, po ciemnych oknach... O ile znam życie, tak samo zabawiali się w tych ciemnych izbach ich dwunożni mieszkańcy. Tylko moje okienko tliło się w ciemnościach żółtym prostokącikiem... No, pora spać, sił nabrać do działań jutrzejszych. Po omacku sforsowałem sień. Izba kuchenna... W kątku Grzyb i Grzybicha mamrotali na klęczkach pacierze, klepali ojczenasze i zdrowaśki do obrazów. Boże, obojętny, nieistniejący Boże, gdzież ja trafiłem! Ile do odrobienia! Czy podołam... Zdmuchnąwszy lampę, położyłem się do łóżka. Przez półotwarte okno wionęły łąkowe zapachy, napływało słynne z rześkości wioskowe powietrze. Gwizdały osławione słowiki czy coś w tym rodzaju. Długo leżałem z otwartymi oczyma, sen nie przychodził do skołatanej mej głowy. A gdy zasnąłem, śnili mi się junacy na trasie W-Z, trójki murarskie... Ach, pięknie było, rewolucyjnie.

Zadzwonił budzik... Odemknąwszy oczy, ze smutkiem stwierdziłem, że jestem sam, w wiejskiej chacie... Przez gałęzie i okno wślizgiwały się do izby strome promienie – dzień zaczął się już na dobre. Zegar wskazywał siódmą.

Wstałem, pościeliłem łóżko i po krótkiej zaprawie gimnastycznej (nie ma co, siła fizyczna – brutalna siła fizyczna – przyda mi się nieraz w tutejszych warunkach), rozgrzawszy mięśnie, zbiegłem z mydłem i ręcznikiem do rzeki... Najpierw przepłynąłem kraulem pod prąd (!) z pięćdziesiąt metrów. Umyłem się... Rześki, mocny, odważny, mlekiem i chlebem się posiliwszy, za pięć ósma stawiłem się w szkole.

Szkoła znajdowała się niedaleko, po sąsiedzku: w sołtysowej chacie. W niedużej niskiej izbie stało z dziesięć ławek pozbijanych z grubych desek. Tablica w kącie, czerń utraciwszy od ścierek i kredy, szarzała żałośnie. Sołtysicha zamiatała podłogę, sołtys z pąkiem gwoździ w jednym ręku, z młotkiem w drugim próbował wzmocnić rozchwierutane ławki. Kwadrans po ósmej przyszły pierwsze dzieci.

– Dzień dobry! – powiedziały, przyglądając mi się lękliwie. Troje ich było.

– Dzień dobry! – przywitałem je przyjaźnie. – Proszę, siadajcie! Jak się nazywacie?

– Zofia Grzybówna c. Jana – przedstawiła się rezolutnie dziewczynka.

– Kazimierz Grzyb s. Łukasa – przedstawił się maluch z łysinką na ciemieniu.

– Kazimierz Grzyb s. Jakuba – przedstawił się zuch z dyndającym uchem.

– Hm... A od czego, Kaziu, masz takie ucho? – zaciekawiłem się.

– Od polskiego...

– A ta łysinka, Kaziu?

– Od historii...

– A wasza pani gdzie wyjechała?

– Utopiła się! – zawołały radośnie.

Z niezwykłą w ich wieku dojrzałością obserwowały moje ręce założone na piersi – zgadywały zapewne, czy mocno biję w łapę i czy lubię kręcić ucho.

Powoli ławki zapełniły się.

– Czy już wszyscy? – spytałem, przeglądając dziennik.

– Błazejaków jesce ni ma – powiedziała Zosia. Mazurzyła, jak wszyscy w tej wsi.

Błażejaki, czyli synowie Błażeja, mojego stryja. A więc moi stryjeczni bracia! Ciekaw byłem, jak wyglądają.

Zadudniło pod oknem i zaraz pojawili się w progu. Małe były to chłopięta, chude, oskubane nożycami niczym jagniątka, wszystkie z rzadkimi zębami i czegoś wystraszone. Pięcioro. Za to szósty, ostatni, z pół metra górował nad braćmi. W czapce był i ojcowych butach z cholewkami.

– Ty w której klasie? – spytałem.

– W cwartej.

– Który rok?

– Sósty! – odparł z dumą.

– A uszy? – zdziwiłem się. – Całe?

– Niechby spróbowała! – prychnął i splunął przez otwarte okno het, na środek gumna.

Najmniejsze z Błażejąt trzymało w rękach skrzypeczkę z gonta, tkliwie jak gołębia tuliło ją do swego serduszka.

– Jak ci na imię? – spytałem.

Zamiast odpowiedzieć, chłopczyk oczy piąstką wstydliwie zasłonił.

– Nu gadaj, jak cie pytajo! – huknął malucha w kark najstarszy. – Mów: Janko!

– A przezwisko Muzykant! – dorzuciła Zosia.

Spoważniałem, pomroczniała mi dusza znowu. Rety! Ze sto lat do odrobienia.

Poprosiłem chłopca, by zagrał, lecz Jasio oczy wlepił w ziemię i skamieniał. – Zagrajże co, Jasiu – zachęciłem, głaszcząc zjeżone włosięta. Ale odwrócił się do mnie bokiem i niespodziewanie załkał... może dobrocią wzruszony? Kto wie, czy moja dłoń na jego włosach nie była pierwszym promykiem serdeczności w tutejszej surowej, zimnej okolicy.

– On się wstydzi! – zawołały dzieci. – On wstydliwy!

– Zagrajże, Jasiu – poprosiłem chłopca. – Jeśli ładnie zagrasz, to przywiozę ci z miasta prawdziwe skrzypce...

– Graj, durniu! – Znowu huknął go kułakiem najstarszy. – Słysys? Darmo skrzypce dostanies!

I Jasio zagrał. Otarł łzy piąstką, przycisnął brodą deseczkę, smykiem krzywym po drucie przejechał – zakwiliła skrzypeczka! Jak wilga, jak gil, jak słowik! No bo kogoż miał tu Jasio naśladować, od kogo uczyć się pięknej sztuki muzykowania, jeśli nie od nich, leśnych grajków i melomanów.

– Będziesz miał, Jasiu, prawdziwe skrzypce! – oznajmiłem z mocą, wzruszony. – Nie pozwolę, aby taki talent się zmarnował! Będziesz się uczył w szkole muzycznej!

Chłopię patrzyło we mnie niebieściuchnymi oczyma, pod łzami świtał w nich ufny uśmiech... Klasnąłem w ręce.

– A teraz, drogie dzieci, pójdziemy na wycieczkę! – zawołałem gromko. – Na wycieczkę!

Ale, o dziwo, nie usłyszałem spodziewanego gwaru, okrzyków radości. Dziewczynki, chłopcy siedzieli w ławkach, nachmurzeni, niechętni.

– No, idziemy! – powtórzyłem wezwanie.

– Kiedy my nie chcemy na wyciecke – mruknął Kazio z naderwanym uchem.

– Znowu bedzie o tej poezji! – zabasował najstarszy Błażejak, Pietrek mu było.

– Jakiej poezji? – zdziwiłem się. – Czego wy się boicie?

– A bo tamta pani to nic, tylko wodziła nas i wodziła na kurhan ucyć tej poezji.

– Przepytywała i przepytywała!

– Dwójki stawiała!

– Biła w łape!

– Usy kręciła za te poezje!

– Kazała patrzeć z górki na rzeke i pytała, co robi rzeka – wyjaśnił ponuro Pietrek. – Jak sie powiedziało, ze płynie, to stawiała dwóje albo kręciła ucho. A jak sie powiedziało, ze „wije się", stawiała trójke. A kto powiedział „wije sie jak wstązecka", dostawał cwórke.

– A ja mówiłam „wije sie jak błękitna wstązecka" i dostawałem piątki! – pochwaliła się Zosia. – I wiem, co robi łąka, co las, co słonecko, co wiater, co ptaki, co ryby... Ojej! Prose pana, oni mnie scypio! – poskarżyła się.

Zaciekawiły mnie praktyki mej poprzedniczki i owoce jej nauczania.

– A co, Zosiu, robi łąka? – spytałem.

– Lezy w dole jak barwny kobierzec! – odparła bez namysłu.

– A las?

– Cicho semrze swoją pieśń przedwiecną!

– Oho! A słońce?

– Wisi na niebie jak złoty dukacik!

– Yy, coś pląces! – wtrącił się Pietrek. – Słońce cese swe jedwabiste włosy na gałęziach drzew!

– Głupiś! – oburzyła się Zosia. – Swe jedwabiste włosy na gałęziach drzew cese wiater! Wiater, to figlarne dziecie słońca, chmur i nieba! Figlarne, pamiętam dobrze!

– A wcale nie! – zaprotestował Pietrek. – To chmury, chmury so figlarne!

Uciszyłem powaśnionych i spytałem, co jeszcze mówiła im pani o poezji.

– Ze poezja upięksa świat!

21

– Ze bez poezji zyć nie warto!

– Ze kulturalny cłowiek musi umieć co najmniej sto porównań!

– Sto? – zainteresowałem się. – A ile nauczyła?

– Pindziesiont siedym!

– I zaraz utopiła sie!

– Bo ona lubiła wypływać łódko i rozmyślać o poezji!

– I raz łódka przewróciła sie!

– Na głębi!

– I ona wpadła!

– Jak kamień w wode! – zakończył Pietrek celnym porównaniem.

– I jesce cepiała sie... – zaczął Kazio – cepiała sie, ze mówimy skoła, a nie szkoła... Na dzicki kazała gadać ulęgałki...

– Ulęgałki, cha, cha, cha! – rozbawiło Pietrka. Ale nie zdążyłem poinformować dzieci, jakie jest moje stanowisko w tej kwestii, bo za oknem rozległy się krzyki.

– Odydź, złodzieju! – krzyczała kobieta. – Odydź, to nase!

– Won, bandyto! – dołączył się głos męski, piskliwy.

Pietrek zerwał się z ławki.

– Muse lecieć! – rzekł. – Znowu bedo sie bili!

– Kto?

– A tatko z Maciejami! Lece!

– Ani mi się waż! Siadaj!

– Ale ja muse... Zwolnijcie... Pomoge i zara przylece...

– Siedź! Nie będziesz bił się o miedzę, dość się starzy o nią nawojowali! – osadziłem wyrostka.

Tymczasem krzyki nabrały temperamentu i rozmachu.

Wyjrzałem przez okno.

A jakże, stali już naprzeciwko siebie, gotowi do bójki: stryj Błażej cep trzymał, Błażeicha, baba wielka i żylasta, drąg dzierżyła w swoich łapskach. Rodzice uzbrojeni byli skromniej: Maciej siekierkę miał w prawicy, matka widły. Najeżeni. Tylko sporna grusza tkwiła między nimi obojętnie. Ponad nią chmara wróbli, spłoszonych z gałęzi krzykami, zataczała z furkotem wielkie koła.

– Moje gruski! Moja grusa! – oznajmił Grzyb Maciej dobitnie.

– Co? – nadął się Grzyb Błażej. – Twoja? Kiedy moje o, potąd!

– I piętą zakreślił, pokąd jego.

Maciej ominął go i zakreślił piętą krechę po Błażejowej stronie gruszy.

– O, potąd moje! I grusa moja! To ja jo posadził! Dobrze pomne, ja!
– Ty? Ja! – zaperzył się Błażej. – Dobrze pomne: w niedziele posadził, jak wiecorem na dwor wysed!
– Wiecorem? Ha, to ja pierwsy. Ja rano!
– Jak ty mog posadzić, jak ty gruskow nie jad, bo ciebie od gruskow wzdymało!
– A cy ja mowie, ze nie wzdymało? – na to Maciej. – Wzdymało! Wzdeło – i posadził!

Błażej sięgnął po gruszkę, zerwał, rzucił Maciejowi pod nogi.
– Mas! Jak cie wzdyma, to se zjedz i posadź! A od tej grusy wara, bo ona moja! – oświadczył, cep wznosząc do góry.
– Moja! – wrzasnął Maciej i wzniósł prawicę z siekierką.

Błażej kropnął cepem, Maciej jęknął, kropnął siekierką – chybił – sczepili się – baby też się sczepiły. Rozjuszeni, krzycząc, charcząc, piach odpluwając, tarzali się pod gruszą, wzbijając tumany kurzu. Ludzie się zbiegli, aby oglądać widowisko, dzieci cisnęły się do okna, żeby oczy walką napaść... Okropność... Sołtys nadszedł. Stanął pod moim oknem, chciało mu się pogwarzyć.

– Oho! – rzekł do mnie. – Dzisiaj coś rano zacynajo... No, no, ciekawe, kto dzisiaj kogo.

Wyglądało jednak na to, że Błażejowie. Błażeicha powaliła Macieichę i siedząc na niej okrakiem, biła kułakami z góry, jakby ciasto miesiła.

– Ot, robotna baba! – podziwiał sołtys. – Taka baba w gospodarstwie to jak para koni. Yy, więcej, para koni i bycek... Oho, i krowa do tego...

Błażej zaś Macieja powalił – stał nad nim w rozkroku i walił cepem z góry równo, rzetelnie, z chłopską obrzędowością.

– Ho, ho, obydwoje robotne! – komentował sołtys z uznaniem, skręta kurząc. – Ale, panie mafister, tam już matula dochodzo...
– Dochodzo... – zgodziłem się ze smutkiem.
– I tatko tak samo nie rucha sie!
– Nie...
– Nu, to jakoz! – oburzył się. – Pan mafister niechaj coś robi!
– Co?
– A chycić kołek! O, teraz okazja: a zajechać babe w potylice!
– Ja? Kołkiem?
– Nu, to chociaz ich rozcepić... rozdzielić!

– A mało to mają okazji, by przerwanego sporu dokończyć? – odparłem. – I to jeszcze straszniejszymi narzędziami...

Zadumałem się głęboko nad tym wszystkim: nad złożonością stosunków międzyludzkich, zawiłością mechanizmów społecznych.

– Maciej jakby niezywy... – zastanawiał się sołtys. – Macieicha całkiem ucichła.

– Tak, sołtysie... – westchnąłem. – Jest tylko jedno realne rozwiązanie tego wszystkiego: zmienić warunki ekonomiczno-społeczne.

– Warunki? Ykonomicne?

– Zmienić na takie – powiedziałem, patrząc daleko w przyszłość – w których miedze staną się przeżytkiem bez znaczenia.

– Jezu, zeb jakiego niescyńscia z tego nie było! – zaniepokoił się sołtys.

Przeprosiłem, że muszę kontynuować lekcję, i zamknąwszy okno, aby krzyki, jęki, charkoty nie przeszkadzały, kazałem dzieciom zająć miejsca w ławkach.

– Drogie dzieci! – zagaiłem. – Nie, ja nie będę wam gaworzył o poezji. Dziś dowiecie się, dzieci, co to postęp, co zacofanie... Otóż człowiek zacofany, drogie dzieci, to taki, co żyje po dawnemu: w zabobonach, w nieludzkiej ciężkiej pracy, w brudzie i głodzie! A teraz pójdziemy na wycieczkę: patrzcie, rozglądajcie się i meldujcie, co zobaczycie zacofanego.

Parami poszliśmy drogą wzdłuż rzeki, z początku spiesznie, aby jak najprędzej oddalić się od wulgarnych odgłosów kłótni. Minęliśmy kilka domów i podwórek – wszędzie poniewierały się jakieś półzgniłe beczki, cebrzyki, wiadra... Płoty rozsychały się, rozpadały, kury i prosięta wygrzewały się w piasku, między nimi raczkowały niemowlęta. To tu, to tam drągi wspierały chlewik... Sterczały krokwie z zapadniętego dachu. Walała się wszędzie rozwłóczona słoma, patyki, szmaty. Dla kogoś zorientowanego w problemie wystarczyłoby tu materiału nie na jedno, ale na sto wypracowań o zacofaniu. Moi uczniowie jednakże zetknęli się z tą problematyką po raz pierwszy, nie mieli wprawy. Rozglądali się uważnie, ale bez skutku.

Pierwsza przejrzała na oczy Zosia.

– O, zacofane! – zawołała, wskazując stadko dzieci taplających się z kaczkami w kałuży; jedne i drugie nogi miały pałąkowate, krzywiczne, tak że trudno było nieuzbrojonym okiem odróżnić co dziecko, co kaczka.

– Brawo, Zosiu, zacofane! – pochwaliłem zdolną uczennicę, dopingując pozostałe dzieci do myślenia. – Co jeszcze widzicie zacofanego?

– Ja zacofany! – pochwalił się Pietrek.

– O! A dlaczego?

– Zyje w brudzie i głodzie – oznajmił. – Ja jesce nigdy nie najad sie do syta!

– I ja! I ja zacofany! I my tyz zacofane! – zapiszczały dzieci, mazurząc, przeciągając, całkiem zapomniawszy nauk swej nauczycielki.

– Jeść nam mało dajo!

– Z postem!

– Wiecnie zur i zur!

– Abo kartofli!

– Mięso tylko na Wielkanoc!

– A ja juz taki strasnie zacofany – przekrzyczał je basem Pietrek – ze takiego parsucka jak ten, o... – wskazał wieprzka czochrającego się o płot – zjadby takiego na raz!

– A ja – całe świnie! – westchnął Kazio s. Łukasza.

– Ja – barana... – rozmarzył się Kazio s. Jakuba.

Klasnąłem w ręce.

– O właśnie, dzieci, widzę, że zrozumiałyście, co to zacofanie – pochwaliłem. – A teraz powiem wam o postępie... Człowiek postępowy, drogie dzieci, to taki, co żyje mądrze. Nie haruje tak jak zacofany. Jest czysto ubrany. Żyje wygodnie, nowocześnie... I co: chciałybyście być zacofane czy postępowe?

– A co jedzo postępowe? – zabasował Pietrek.

– Co jedzą postępowi? – Postanowiłem kuć żelazo, póki gorące. – Postępowi jedzą marmoladę, cukier, mięso, jajecznicę, kiełbasę, piją oranżadę, fruktowity, soki.

– A śmietane?

– I śmietanę!

– A kwas?

– I kwas!

– I marmulade?

– I marmoladę!

– I słonine jedzo?

– I słoninę!

– Do syta?

25

– Do syta...

– Dobra, chce być postępowy! – oświadczył grzmiąco Pietrek.

– I my! I my! – poparły go chórem dzieci.

– W takim razie spróbujcie pokazać mi coś postępowego – zaproponowałem, ale natychmiast zdałem sobie sprawę z absurdalności mego pomysłu. No bo cóż postępowego mogły znaleźć w tym mateczniku zacofania?

– Pan postępowy! – rzekła przymilnie Zosia. Zrobiło mi się nader przyjemnie... No bo w rzeczy samej, prawdę powiedziała. Ale nie na dogadzaniu własnej próżności mi zależało.

– Dlaczego postępowy? – sprawdziłem.

– A bo pan taki cyściutki – wyjaśniła. – I w pantoflach.

– O, postępowy! – zawołał nieoczekiwanie Kazio z naderwanym uchem, wskazując mężczyznę leżącego w chłodku pod gruszą. Grube chłopisko, rozwaliwszy nogi, spało z rękami pod głową, chrapiąc donośnie i przez sen prychając na muchy łażące po oczach i nosie. Zatrzymaliśmy się.

– Dlaczego postępowy? – spytałem Kazia. Chłopczyk, gestykulując zaciśniętymi piąstkami, wygrażając, objaśnił, że tatko jest postępowy, bo je i je, wszystką śmietanę wypija, mleko wypija, jajka wypija, mięso wyjada, słoninę wyjada! Rozpamiętując swą niedolę, biedne dziecko kopnęło rodzica w nogę. Otworzył oczy, zamrugał i usiadł, nieco przestraszony.

– A... – przytomniał. – To pan ucyciel... Dzień dobry...

– Dzień dobry – odparłem. – Taka pogoda, a pan nie w polu?

– Yy... – skrzywił się, wydłubując jedzenie z zębów. – Baba robi... He, tego... – mamrotał, pokonując ziewanie. Wtem jednym okiem spojrzał w słońce i rozejrzawszy się po dzieciach, spytał: – A nie mógłby pan ucyciel mojego Kaziucka puścić? Krowa rycy w oborce niepasiona... Kaziuk, lataj po krowe!

Zaoponowałem zdecydowanie.

– Krowa krową, szkoła szkołą, panie Grzyb. Idziemy, dzieci...

Wieś się skończyła, droga przemieniła się w wąską ścieżynkę, która, klucząc wśród traw, ginęła nieopodal w lesie. Dzieci, jakieś zalęknione, zwolniły kroku, wreszcie przystanęły – bały się iść dalej.

– Horpyna... – szepnął Pieterek. Nawet on, chłopak jak tur mocny, ze strachem spoglądał w krzaki.

– To co, że Horpyna! – Uśmiechnąłem się lekceważąco. – Boicie się tej starej, zacofanej kobiety?

Rozszeptały się strachliwie:

– Ale ona grad sprowadza!

– Ropuchi!

– Krowom mleko odbiera!

– Ona wsytko moze... – przestrzegł Pietrek. – Z nio lepiej nie zacynać, bo urok rzuci.

Zaśmiałem się i ręką dałem znak do marszu, sam idąc na czele. Zatrzymaliśmy się na skraju boru.

Przez gałęzie prześwitywały ściany i strzecha starej chatynki. Wielka korona sędziwego dębu, pamiętającego zapewne pogańskie czasy, przykrywała chatkę jak zielona czapa. Wśród konarów bielało okienko, mętne jak oko ślepca. Pod okapem suszyły się na kołkach pęki ziół, na pewno odurzających, obok na sznurach grzyby, niechybnie trujące... Przed progiem niedźwiedź rąbał drewka, rozłupywał siekierką bierwiona zamaszyście, wprawnie, pomrukując przy tym coś melancholijnego, ni to blues leśny, ni kołysankę ludową.

– To Miszka! – wyjaśniła szeptem Zosia. – Horpyna oswoiła jego sobie i wyucyła, ta carownica!

Odskoczyłem ze wstrętem – śliski gad przemknął mi po nodze! Zaś w poprzek ścieżki śmignął kret, jeśli nie coś gorszego.

Dzieci po kroku, po pół, cofały się od boru do wioski.

– Nie bójcie się, dzieci! – dodawałem im odwagi. – To wszystko nieprawda. Lud, niezdolny ogarnąć zjawisk przyrody rozumem, wydumywał różne bajki! Próbował opanować nieznane żywioły modlitwami, gusłami, czarami...

Przerwałem, bo drzwi pisnęły i ukazał się siwy, odrażający łeb wiedźmy: zastukała Horpyna kosturem w próg i mrużąc oczy przed światłem dnia, pogroziła mi palcem.

– Oj, Maniuś, Maniuś, ty lepiej ze mno nie zacynaj! – warknęła. – He, widzicie, jak zgłupiał w tych skołach? Plecie coś bez rozumu... Nie słuchajcie tego, dzieci! Nie słuchajcie...

Niedźwiedź wbił siekierę w pień, zatarł łapy i przygarbiwszy się jak bokser, spojrzał pytająco na wiedźmę. Rety, co zrobić, jeżeli zaatakuje? Czy takiego kolosa powalę?

Ale Horpyna zaśmiała się szczekliwie, kaszlnęła dymem i kiwnęła na zwierza.

– Chodź, Miszka, śniadać...

I niedźwiedź, splunąwszy lekceważąco w moją stronę, poczłapał ciężkim gospodarskim krokiem do chaty.

Odetchnąłem... Starając się opanować drżenie głosu, dałem znak do drogi powrotnej.

Polecenia nie trzeba było powtarzać dwa razy – dzieciaki na wyścigi ruszyły do wioski, byle dalej od czarownicy.

– Owszem, niedźwiedź jest niebezpieczny – próbowałem tłumaczyć spłoszonej dziatwie. – Wiadomo, bezrozumne zwierzę. Ale co do czarów... Hm, pokażę i ja wam na lekcjach fizyki i chemii pewne doświadczenia i też będziecie mieli mnie za czarodzieja. A to tylko nauka. Bo nauka, drogie dzieci, nauka i technika, to największe czarodziejstwo, większe niż Horpynowe sztuczki...

Jasio Muzykant podniósł palce, chciał coś powiedzieć.

– Prose pana! – pisnął w marszu. – Ja znam jesce dwóch zacofanych. Nas tatko i nasa matula zacofane...

Uradował mnie chłopak swoją pojętnością. Pochwaliłem Jasia.

– Tak – potwierdziłem. – Wasi rodzice są zacofani, drogie dzieci, zapamiętajcie to sobie: zacofani. A musimy zrobić z nich ludzi postępowych. I zrobimy!

Potem oznajmiłem koniec lekcji i dzieci się rozbiegły do krów, gęsi, prac domowych. Ja nad rzekę się udałem, na wydmę, myśli zebrać, plan działania obmyślić szczegółowo. Po drodze minąłem poswaśnionych sąsiadów – wyczerpani walką, bili się już na siedząco, okładali się niemrawo, zasypiali w pół ciosu. Wszedłem na szczyt wydmy, zdjąłem koszulę, spodnie, słońce od razu dobrało mi się do skóry. A opalaj, pomyślałem sobie, opalaj, tylko mi to na zdrowie wyjdzie. Spod rzęs obserwowałem rzekę: kilkoro wisusów, smagłych jak Cyganięta, chlapało się w wodzie. Skakały dzieciaki z wierzby na łeb, na pośladki, krzyczały, nurkowały, wypływały z rybą w zębach, istne dzikusy – nieświadome, że tymczasem rozziew cywilizacyjny między nimi a ich rówieśnikami w krajach wysoko uprzemysłowionych poszerza się z minuty na minutę, gdyż kto nie idzie naprzód, ten, w myśl dialektyki, cofa się...

Macieicha pod gruszą dźwignęła się na nogi, odwróciła się do Błażeichy tyłem, zadarła spódnicę i przygięła się... Błażej piachu capnął ręką, sypnął babie po wstydach... I Błażeicha dźwignęła się – chwytając się rękami pnia, powstała jakoś z ziemi – tak samo wypięła się... stały

28

naprzeciwko, zadek w zadek, symetrycznie, gęby im się ruszały między piętami... Pyskowały, ale słabo, widzów ubywało. Maciej Grzyb chwycił Błażeja Grzyba za nos, ciągnął, miętosił – Błażejowi udało się wepchnąć pięść Maciejowi do jamy ustnej. Co robić, od czego zacząć... Wiedziałem, że zastanę tutaj nędzę i zacofanie, ale nie przypuszczałem, że sytuacja będzie tak drastyczna i beznadziejna. Szkołę ciągnąć – to za mało.

Powiedzmy, że jakoś uda mi się zmienić, ucywilizować te dzieci. Ale gdy dorosną – czyż nie będą, jak ich ojcowie, użerać się o byle gęś, o gruszę, o skibę ziemi? To nędza, nędza jest rodzicielką ich okrucieństwa. Więc jak wydźwignąć Wydmuchowo z nędzy?

Ktoś stanął nade mną. Odemknąłem oczy.

Sołtys.

– A co pan tak leży goły? – spytał z troską w głosie. – Chory pan? Zasłab?

– Opalam się.

– Co takiego?

– Opalam się – powtórzyłem.

– A na co?

– Na co? Żeby być opalonym.

– Jak to, opalonym! – zdumiał się. – Toć słonko samo opala przy robocie...

Zdziwiło mnie jego zdziwienie... No tak, uświadomiłem sobie, wieśniacy opalania jako takiego nie uprawiają, plażowanie jest dla nich zwyczajem nieznanym. Opalają się bezwiednie, przypadkowo. I stąd ta razowość twarzy, szyi, dłoni, brązowość łydek u bab i dziewczyn – a także owa rażąca biel, prawie siność brzuchów, pleców, ud, gdy obnażą się do kąpieli.

– Nu, a co z tego, ze opalone? – dociekał sołtys. – A może rząd płaci panu mafistrowi za to opalanie? Do pensji dokłada? Co?

– Nie... Ja się opalam dla przyjemności. Normalnie, jak wczasowicz.

– Wcasowic? – zaciekawił się. – A kto to wcasowic?

– To taki, co kąpie się w rzece, opala się, wyleguje na plaży...

– Na cym?

– Plaży. To kawałek ładnego piasku nad wodą. Ot, choćby taki jak ta wydma...

Wtem myśl olśniewająca, genialna myśl przeszyła mi mózg!

Zerwałem się, otworzyłem oczy szeroko.
– Już wiem! – zawołałem, ręce same uniosły mi się do góry tryumfalnie. – Już wiem!
– Co takiego? – przestraszył się sołtys.
– Już wiem, sołtysie, wiem jak! Skończy się bieda i zacofanie! Koniec ze starym Wydmuchowem: nowe czasy, nowa era!

Na moje wezwanie przyjechał z Powiatu – rowerem – doświadczony aktywista, taki, co to zęby zjadł, gardło zdarł na akcjach uświadamiających w środowiskach zacofanych. Przywiózł parę gazet. Zachłannie czytałem wiadomości z kraju i świata: o klęskach interwentów, sukcesach ochotników, zagospodarowywaniu ugorów, o budowie nowych hut.

Wyszliśmy przed szkołę. Delegat, pół siedząc na ramie roweru, pół stojąc, rozglądał się po okolicy. Jeden rzut oka na chaty i na tubylców wystarczył mu, by określić stan tutejszej kultury materialnej i duchowej.
– Cepy, co? – rozpoznał bezbłędnie odgłosy ze stodół. – Żarna, sierpy, motyki?
Pokiwałem głową potakująco.
– Zapałki na czworo? – stwierdził, spojrzawszy na dymy nad chatami.
– Na czworo...
Nosem pociągnął, zapachy próbując kuchenne.
– W raz solonej wodzie gotują kartofle trzykrotnie?
– Tak. Na soli oszczędzają.
Spojrzał na dzieci w podwórzu.
– Boso albo w ojcowych butach? Zimą na przypieckach?
– Albo w workach z sieczką.
– Ech, prymityw... A jedzenie? Ze wspólnej miski?
– Drewnianymi łyżkami.
– Spanie po sześcioro w łóżku?
– Niestety... Starcy z niemowlętami... Płeć z płcią...
– A jak... – przerwał pytanie, papierosa na pół przełamał, zapalił. – Jak się przedstawia sprawa umierania noworodków?
– Kiepsko.
– Wypędzania starców na żebry?
– Tragicznie.

30

– A bójki o miedzę? Jaka krwawość?

– Średnia...

– Wesela? Zabijalność?

– Dwa, trzy trupy rocznie.

– Nożami?

– Sztachetami, drzewo tu tanie.

– A usamogonnienie?

– Wysokie.

– Problem zabobonów i guseł?

– Nabrzmiewa, niestety.

Pokręcił głową stroskany. Zaciągnął się, puścił dym nosem.

– A klerykalizm? – ciągnął wywiad. – Kwitnie?

– Zwłaszcza wśród kobiet.

– Analfabetyzm, ta smutna spuścizna szlacheckiej Rzeczypospolitej?

– Zwalczam. Ustępuje. Ale wolno.

– Niedobrze... Niedobrze... – Zamilkł, analizował, wyciągał wnioski. – No, ale dość kwękania! – zadecydował. – Zaczynamy.

Myślałem, że najpierw zwołamy chłopów na zebranie. Ale delegat, stary gracz, postanowił zastosować inną technikę agitacji.

– A chodźcie no tu – rzekł do sołtysa. – Będziecie namawiać chłopów do elektryczności.

– Ja? – Sołtys podrapał się w strąki pod kapeluszem.

– Z nami.

– Hy... Jak ja mam namawiać, jak ja sam nienamówiony!

– Nie szkodzi, sołtysie, nie szkodzi – pocieszył go delegat. – Namawiając innych, sami w końcu uwierzycie, w co namawiacie. A zresztą... – Machnął ręką. – Wielu robi to, w co nie wierzy. I robią jeszcze lepiej, niż gdyby wierzyli.

– Nu, sprobujem – uległ sołtys.

Rozpoczęliśmy akcję od ostatniej chaty, Błażejowej.

– Panu mafistrowi to ja by nie radził do stryja zachodzić – ostrzegł sołtys.

– Dlaczego? – zaoponowałem odważnie.

– Chiba co z siekierko... – rzekł.

Nie, nie wziąłem siekierki, są lepsze sposoby uświadamiania niż siekierka czy rewolwer. Niestety, nie pozwolił stryj Błażej ich wypróbować. Oto gdy dzieci doniosły mu, że idą ucyciel z sołtysem i jakimś urzędnikiem, a urzędnik ten ma rower, na rowerze zaś żółta teczka dynda, Błażej z żonką zamknęli się w chacie, drzwi do sieni kołkiem podparli i nie odpowiadali na nasze ni prośby, ni groźby, ni apele.

– A to zakała! – rozzłościł się delegat. – Zapamiętajcie go, sołtysie...

– Chi, chi, chi! Zakała! – ucieszył się sołtys. – Zapamiętam! Zakała!

I rzeczywiście, zapamiętał słowo, puścił po wsi i, o dziwo, wnet przylgnęło ono do Błażeja jako przezwisko. Prawdę mówiąc, był to jedyny pożytek z naszej u stryja wizyty.

Następne podwórze należało do Grzyba Macieja, czyli do mojego, jak to się mówi, ojca. Weszliśmy.

Stary właśnie w stodole cepem dudnił – pochylił się i otłukiwał siarczyście słomę poniewierającą się na klepisku, kury krążyły czujnie, wydziobywały na wyścigi odpryskujące ziarnka. Stał tyłem do drzwi i światła, gdy nas zobaczył, na ucieczkę było za późno. Zdrętwiał – zwłaszcza widok roweru i teczki go poraził. Rozkraczył się – pochylony, napięty, patrzył na nas spode łba, jak osaczony dzik. Wiedział, że za chwilę go zajdą, nie wiedział tylko, z której strony.

Delegat wyciągnął doń rękę – Grzyb na to odstąpił krok do tyłu, mocniej ścisnął drzewce.

– To nie ja! – krzyknął na wszelki wypadek. – Ja niewinny! To Błażej!

– Sprawa jest taka, panie Grzyb – zagaił delegat. – Postanowiliśmy zelektryfikować Wydmuchowo.

– Dla waszego dobra – dodałem.

– Życie wasze stanie się lżejsze, wygodniejsze, szczęśliwsze – ciągnął delegat. – Zamiast cepa – młocarnia. Zamiast rąk – silnik elektryczny. Elektryczność będzie wam młócić, mleć, sieczkę rżnąć, drzewo piłować, koszule prać i prasować. Radio wam będzie przygrywało. Jasna żarówka zaświeci... Proszę, tu jest lista, podpiszcie, że zgadzacie się na elektryczność.

I delegat wyciągnął doń listę i ołówek.

Grzyb odstąpił dwa kroki. Zasłonił się cepem.

– Nie podpise! – warknął.

– Nie?

– Nie!

– Ach tak... – pokiwał głową delegat. Wtem oczy zmrużył, groźną miną się przyoblekł. – Nie podpiszecie? To ja was... – Sięgnął do wewnętrznej kieszeni marynarki, wyjął długopis i notes. Notes otworzył. – To ja was – zapiszę!

Chłop zdębiał. Zbladł na płótno...

Ech, majster był z delegata, wirtuoz! Wspaniale zaszedł Macieja: wiedział, że prosty lud panicznie boi się wszelkiego zapisywania – boi się lud zapisywania, bo nie wie, czym się ono skończy: turmą, pójściem w sołdaty na ćwierć wieku czy zsyłką na Sybir. Aby ten strach przed protokołem, podpisem, urzędami wyplenić z krwi chłopskiej, trzeba niejednego pokolenia.

– A tak, zapiszę – rzekł delegat i długopisem dotknął notesu.

Grzyb padł na kolana.

– Nie zapisujcie, panie! – jęknął. – Bijcie, rźnijcie, ale nie zapisujcie...

I po rękach chce całować... Okropne to, okropne, ta chłopska bezradność i naiwność, odwieczne klękanie – przed Panem Bogiem, przed dziedzicem, przed byle czynownikiem.

Podniosłem wieśniaka z klęczek, delegatowi dałem znak ręką, żeby zaczekał.

– Nie jesteśmy dziedzicami, nie trzeba przed nami klękać! – skarciłem wieśniaka.

Z nadzieją wpatrzył się we mnie.

– Zmiłujcie sie... – stęknął.

– To wszystko dla waszego dobra – zacząłem łagodnie, przyjacielsko. – Dla waszego szczęścia...

– Nie – pokręcił głową. – Nie potrzebuje...

– Maszyn nie chcecie? – ciągnąłem. – Światła? Żarówka wobec lampy naftowej to jak dzień wobec nocy...

– Kiej ja z lampo kce... Po krześcijańsku.

– Z żarówką inne życie, człowieku!

– Ni ma la mnie zycia bez lampy!

– Zobaczycie świat na nowo, innymi oczyma. Podpiszcie...

– Zwolnijcie!

– Gazety zaczniecie czytać.

– Zwolnijcie, prose! Ja wam kope jajkow ochwiaruje.

– Książki...

– Kilo maku!

– Radia będziecie słuchać...

– Ja mse zamowie na wase intencje!

– Nowe horyzonty...

– Ja sarwarkiem odrobie, tylko zwolnijcie! Groble usypie...

– Nowy smak życia...

– Kilometer drogi wybrukuje!

– Dołączcie, Grzyb! Epokowe zmiany nadchodzą. Przebudowa moralności! Przekształcanie przyrody...

– Jędrzeju! – zawołał Grzyb rozpaczliwie, ręce składając przed sołtysem. – Weźcie te elektryke dwa razy: za siebie i za mnie! Ja wam bede odrabiał oraniem, do śmierci! Ze swoim koniem! Dwa dni w tygodniu!

– Nie, Macieju, kozdy musi za siebie – nie dał się skusić sołtys.

– Jezu, Jezu... – rozpaczał Grzyb, ręce wzniósłszy do góry. Ale delegat zniecierpliwił się. Nogą tupnął.

– Dość tego lamentu! Pytam się po raz ostatni: podpiszecie czy nie?

Z długopisem w prawej ręce, z otwartym notesem w lewej czekał groźnie.

– Zwolnijcie, bo sobie co zrobie! – jęknął Grzyb. – Zonke utopie! Chate podpale! Całe wioske z dymem pusce!

– Więc nie podpiszecie? – spytał delegat.

– Nie!

– Dlaczego?...

– Bo... bo ja... – jąkał chłop. Wtem się rozjaśnił, roześmiał się z ulgą. – Bo ja pisać nie umie!

– Nie szkodzi... – delegat na to. – Krzyżyk postawcie.

– Ksyzyk?

– Krzyżyk!

– Jak to: ksyzyk?

– Krzyżyk wystarczy. Aby waszą ręką. – Podsunąłem Grzybowi listę i ołówek. Ale chłop pokręcił głową.

– Nie postawię...

Nie wiadomo, jak by się potoczyła akcja, gdyby sołtys nie pomógł znienacka.

– E, Macieju, ksyzyka odmawiacie cłekowi? – spytał zgorszony. – Co wy, Boga się nie boicie?

– Boga?

– Ksyzyka odmawiać cłekowi grzech, Macieju...

– Jezu, ksyzyka! – przeląkł się Maciej.

– Grzech, i to jaki! – postraszył sołtys. – Śmiertelny! A to nie wiecie: ksyza nie das w potrzebie, nie bedzies w niebie!

– Nie bedzies! – powtórzył Grzyb, martwiejąc.

– Jak Kuba Bogu... – zaczął sołtys, Grzyb dokończył:

– Tak Bóg Kubie...

Cepisko wymsknęło mu się z dłoni. Podetknąłem papier i ołówek, palcem wskazałem miejsce, gdzie ma się podpisać.

– Nu tak... – mamrotał wieśniak – ksyza odmawiać?... Toć ja nie ancykryst... Jezu...

Drżącymi paluchami krzyżyk wyrysował. Delegat mrugnął do sołtysa z uznaniem.

– No, mamy sposób na nich wszystkich – podsumował, gdy wyszliśmy na drogę. I poklepał go w pierś, w to miejsce, gdzie przypina się ordery.

– He, he, he! – śmiał się sołtys, rad z uznania. – Do wiecora wsytkich oblecim, nie?

– Oblecim! – przytaknąłem. I uścisnąłem mu prawicę. Rad byłem wielce. Oto nieoczekiwanie wyrósł mi pod bokiem aktywista, tym cenniejszy, że miejscowy. Delegat odjedzie, ale ja nie będę już sam w Wydmuchowie.

Tylko przy nazwisku Grzyba Błażeja nie udało się uzyskać krzyżyka. Długo zastanawiałem się, co począć, aby Zakałę z ciemnoty wyrwać, do postępu zachęcić, ośmielić. Robotnicy przerąbywali już drogę przez puszczę, rozwozili słupy, wieś huczała od plotek o elektryczności, a on? Zamknął się w stodole, cepem dudnił, z nikim gadać nie chciał. Co do mnie, zapowiedział, żebym się nie ważył wstąpić na jego podwórze, bo mi łeb siekierą rozwali. Jak do niego dotrzeć? Jak uświadomić albo chociaż oświecić...

Wreszcie postanowiłem zaatakować go publicznie, to było najbezpieczniejsze. Przygotowaliśmy z uczniami widowisko sceniczne, ja teksty napisałem, ostre, bezkompromisowe. Sołtys udał się do Zakały i uroczyście zaprosił na przedstawienie.

– Wase dzieci, Błażeju, bedo najwazniejsze, co to, swoich dzieciow nie chcecie obacyć? Kumedyjke bedo przedstawiali! Nu przydźcie, ocy naciesycie...

35

Co prawda miał Zakała już tylko jedno oko, a i to półślepe, jednak dał się skusić. Przyszedł. Niedziela była, pora popołudniowa, ludzi zwaliło się tyle, że nie starczyło miejsca w szkolnej izbie. Przyszli Grzybowie, ich w Wydmuchowie najwięcej, dziewięć domów. Przyszli obydwaj Lipkowie. Przyszedł Wyprostek. Innych widowisk, jak wesela, chrzciny, pogrzeby nie oglądali i ciekawi byli, co też mafister i skolniki pokażą.

Nad scenką widniało hasło: ZBUDUJEMY WYDMUCHOWO – NOWOCZEŚNIE, POSTĘPOWO! Na scence, z kilku desek skleconej, Zakalęta szykowały się do występu: Janko stroił skrzypce nowe, z miasta przywiezione, braciszkowie powtarzali półgłosem teksty. Ładnie wyglądali w białych koszulinach i jaskrawych krawatach.

– O, tatko! – ostrzegł braci Pietrek, widząc zasiadającego Zakałę.

– Tatko przyśli!

Zakała usiadł w pierwszym rzędzie na honorowym miejscu, przy sołtysie, swoje jedyne oko wytrzeszczył zachłannie. – Synki moje, chwaty moje! – mamrotał, wypatrzywszy chłopców na scenie. Policzył, że wszyscy są, cała szóstka, i rozsiadł się, rozwalił pysznie. Ojcowskie serce dumą napaść obiecywał sobie.

Dzieciaki zaprezentowały najpierw rozpisaną na scenki krytykę starego Wydmuchowa: o zacofaniu było, o biedzie, nędzy, zabobonach, analfabetyzmie. Recytacjom wtórował na skrzypcach Jasio, ilustrując tekst konserwatywnymi, ludowo-religijnymi motywami. Nauczyłem ludzi klaskać – przyjęło się – brawami i śmiechem nagradzali artystów. Zakała też klaskał – nie teksty, ale dzieci swoje, Zakalęta, oklaskiwał, bo choć małe jak on, z rzadkimi zębami jak on i sepleniące jak on, ładnie wyglądały w białych koszulinach, ostrzyżone, umyte. Recytowały głośno, ochoczo. Łzy ocierając, wieśniak poszturchiwał co chwila sołtysa.

– Widzicie, Jędrzeju? Widzicie? Chwaty moje...

Wreszcie Janko wystąpił naprzód i zagrał wiązankę podstawowych hymnów zachęcających do Przebudowy Świata. A gdy skończył, stanął przy nim Pietrek – rosły, zdrowy. Mocnym młodzieńczym głosem oznajmił zuchwale:

– Zbudujemy Wydmuchowo,
Nowocześnie! Postępowo!

A Jasio:

– Wypędzim ze wsi widma i zmory!

A drugie Zakalę:

– Zagrają radia oraz traktory!

A trzecie Zakalę:

– Wydamy wojnę błotu, roztopom!

A czwarte:

– By chodzić suchą, wysoką stopą!

A piąte:

– Obiecujemy z twarzą radosną

A szóste, Pietrek:

– Wyzwolić Ziemię i zdobyć Kosmos!

Tu pauzę zrobili i efektowna cisza zapadła. Słychać było tylko szept wniebowziętego Zakały:
– Dzieci moje – seplenił wzruszony. – Chwaty moje... Jak aniołki! Jak ministranty! Bede ich ucył wyzej... Na księdzow wyuce... Wsytkich...
I wtedy, na mój znak, Jasio oznajmił cienkim głosikiem:

– Ale bywają jednostki tępe,
Co wcale nie chcą iść za postępem!

Po czym dołączyli braciszkowie. Unieśli w górę prawe ręce, zacisnęli je w pięści. Całą szóstką, zdecydowanie, pod wodzą basującego Pietrka, wyrąbali chórem:

– I w Wydmuchowie jest jedna taka
Owca parszywa, czyli pokraka!

Ciemniak półślepy i niedomyty!
Kułak zajadły, wróg nieużyty...

Obserwowałem Zakałę – czy domyśla się aluzji. Na razie patrzył
w dzieci urzeczony – gębę z rzadkimi zębami rozdziawił w zachwyceniu, łzy mu ciekły po policzkach.
– Robacki moje – mamrotał. – Aj, chwaty... Księdzami, księdzami
bedziecie...
A oni zstąpili na sam skraj sceny i wyciągnęli ręce, wskazując Zakałę, paznokciami prawie dotykali ojcowego nosa. I oznajmili bezkompromisowo:

– On to nienawiścią do postępu pała!
Zwie się Grzyb Błażej, czyli Zakała!

Dopiero teraz, teraz dopiero pojął zacofaniec, o kim się tu mówi!
Wyrzucił ręce do góry, a spomiędzy jego żółtych i rzadkich zębów wyśliznął się skowyt:
– Aaa! Aaa!
Był to niewątpliwie odgłos klęski, coś się w nim musiało załamać – wydawało mi się, że to osławiony chłopski upór pękł z trzaskiem. Zakalęta
pchnęły ojca energicznie, a gdy spadł pod ławę, wygłosiły zakończenie:

– Leć pod stół, Zakało! Leć, trutniu, pod nogi!
Albo ruszaj z nami, albo fora z drogi!

Ukłoniły się... ja zaklaskałem entuzjastycznie, bo świetnie, nadspodziewanie dobrze zadebiutowały! Sołtys też zaklaskał.
– O, pan ma głowę, panie mafister – rzekł z uznaniem. – I do składu było, i do ładu...
Wstałem, żeby ukłonić się, podziękować publiczności. Ale Zakała
wszystko zepsuł. Zerwał się, rękami zamachał.
– Aaa! – zawył. – A wy, hady! Wyrodki wy, absalony! Pozabijam!
Zgładzę! Potopie! – darł się, nie zważając na podniosły nastrój widowiska.
– Ależ, panie Zakała... – zacząłem, aby go uspokoić. Ale gdzie tam!
– To ty, ty, twoja robota, judasu! – jęknął i jak żbik skoczył mi do
gardła, zeszyt z tekstami wytrącił z ręki, kopnął, za klapy schwycił,

38

szarpnął. – To ty, bandyto, ty! – charczał, usiłując mnie powalić na ziemię i zdeptać. – Uch ty, Maciejowe nasienie, bodajby cie piekło pochłonęło! Taki sam ty bandyta i złodziej, jak twoj ociec!

– Co? Ja złodziej? – Zerwał się Maciej, nie mogąc znieść publicznej potwarzy. – Sameś złodziej! – huknął i skoczył mi na pomoc, zresztą w porę, bo oszalały Zakała ucapił mnie za ucho i byłby okaleczył, gdyby nie ojcowa odsiecz. Wnet i sołtys dołączył: we trójkę wypchnęliśmy półszalonego, wierzgającego reakcjonistę za okno – zrobiliśmy to sprawnie, no bo co trzech, to nie jeden.

– Dosyć twojego panowania, zgnyzie! – rzucił Grzyb za okno do bezradnego Zakały. – Spolnie to my zniscym cie jak zabe! Ja tera nie sam, judasu!

– Psiamać, kułak jeden! – sapał sołtys, oglądając ponadrywane rękawy. – A może by tak jego podatkami?

– Yy, do turmy od razu takiego wroga! – radził Grzyb mściwie. Zoczył Zakalęta na scenie, przestraszone, zdezorientowane.

– A może i tych zaodrazu prześwięcić? – zaproponował, rozgrzany zwycięstwem.

Zgnębiony Zakała awanturował się pod oknem.

– Pietrek! Jaśko! Ceśko! Do domu, hady, do roboty! Do krow, do pługa! Ni ma dla was skoły! Do domu!

Dzieci posłusznie przepychały się ku drzwiom. Janko, pochlipując, wylazł przez okno. Nie wiedziałem, jak je ratować. Ludzie szeptali, ponurość mieli w oczach! A tak ładnie się zaczęło, rozkręcało... Ten Zakała, okropny Zakała... wszystko popsuł.

Jedno tylko trzeba było zapisać na zysk: to, że ojciec do nas dołączył. Oto schylił się, zebrał kartki z podłogi.

– Nie boj sie! – powiedział, wręczając mi sponiewierane teksty. – Nie damy sie!

– Ja z wami! – rzekł sołtys. I poczułem się jakiś ważniejszy, silniejszy. Ech, prawda to wielka: co trzech, to nie jeden! Tylko zespołowo, ramię przy ramieniu, tylko wspólnie można coś naprawdę zdziałać.

Akurat w pierwsze przymrozki przybyli do wsi dwaj robotnicy i wzięli się za instalacje w chatach. Szło im sporo, zresztą nikt nie dał sobie wmusić więcej niż jeden punkt świetlny w chacie. A chat w Wydmuchowie wszystkiego dwanaście. Tydzień – i było po robocie. Wyjechali i wtedy zaczęło się najgorsze: czekanie na podłączenie do sieci. Niewiadome rozpalało ciekawość, jątrzyło wyobraźnię. Najdziwniejsze legendy opowiadano o „elektryce", oczywiście, nie przy mnie. Ale od tego tylko, co przekazywali mi Maciej i sołtys, włosy stawały dęba. Jak było do przewidzenia, najzacieklej pyskował Zakała.

– Ta elektryka to ino początek, chłopy! – wywodził, z siekierą w jednej, różańcem w drugiej ręce. – Za rzeko opowiadajo, ze oni najpierw wcisno te elektryke, a potem zgonio wsytkich pod jeden dach i zrobio spolny kocioł!

– Spolny kocioł? – dopytywali się ludzie, panikę mając w oczach.

– A tak! Spolny kocioł, spolne miski, spolne zonki, spolne dzieci!

– Zonki spolne? – nie dowierzali.

– Spolne! – zapewniał. – Tak samo spolne zrobio koni, krowy, stodoły, pola. Nie bedzie bogatych i biednych – wsytkie bedo biedne!

– Jezu!

– A wioske ogrodzo kolącym drotem! – dodawał. – Nigdzie jeździć nie bedzie mozno.

– Jak w więzieniu?

– Jak w więzieniu! I modlić sie zabronio, i chrzcić nie bedzie mozno! A spowiadać sie trzeba bedzie przed wsytkimi, na zebraniach.

– Jezu, Jezu... – lamentowano, ręce załamywano. A ten wichrzyciel latał, gadał, kręcił. Nie było bzdury, w którą by sam nie uwierzył, oszczerstwa, którego by nie powtarzał.

Kiedy dostałem wiadomość, że w sobotę Elektrownia podłączy Wydmuchowo do sieci, i powiedziałem o tym sołtysowi, a ten puścił wieść między chaty, od razu pierwszej nocy przyśnił się Zakale powstaniec: na słupie siedział, szablę miał – nakazywał osadzać na sztorc kosy i robić powstanie.

– Powstanie? – dopytywali się ludzie. – A nie mówił przeciw komu?

– Mafistra zgładzić, Macieja podpalić i sołtysa wygnać z wioski – informował z namaszczeniem Zakała.

Cały dzień dowodził, że „mafistrowe rządy" niedługo potrwają: o Merykanach plótł, atomówką pocieszał, stonkę po polach rozrzucał, wrogą propagandę siał.

Cuda się zaczęły.

Maciejowej, czyli mojej, jak to się mówi, matce, ukazała się Matka Boska: stała koło wierzby i płakała. „Cego płacecie?" – spytała Macieicha. „Bez te elektryke płace..." – odpowiedziała Matka Boska.

– I co? – dopytywali się ludzie.

– I nic – wzdychała Macieicha. – Rozwiało sie.

Malwina jakoby widziała nocą na Wilczych Dołach upiora (ha, ciekawe tylko, co ona tam robiła, na Wilczych Dołach, nocą!). Szedł, szeroko rozkraczając nogi, słupołazy miał na piętach, „sklanki", czyli izolatory zamiast oczu i obcęgi zamiast zębów. Kiedy Malwina się przeżegnała, rzekomo upiór zaśmiał się piekielnym śmiechem, a potem wystrzeliło, błysnęło i zginął...

Wreszcie przyszła owa sobota. Poczekałem do zmierzchu, aby żarówka błysnęła efektowniej... przekręciłem kontakt: rozjaśniło się w izbie, Maciej, Macieicha, sołtys zmrużyli oczy.

– Ho, ho! – pochwalił sołtys. – Taka nieduza bombka, a jaka widna! Przekręciłem – zgasło. Jeszcze raz przekręciłem – zajaśniało! Spodobało się to wielce Maciejowi. Sam spróbował: zapalił... zgasił... zapalił...

– Kómedia! – cieszył się. – Nu, patrzajcie: pstryk i świeci! Pstryk i ni ma!

A sołtys pobieżał do siebie, swoją żarówkę i swój pstryczek wypróbować.

W innych chatach, niestety, jak dawniej ćmiły się lampy naftowe. Ludzie żałowali grosza na żarówki. I nawet kiedy za własne pieniądze kupiłem im dwanaście żarówek, nie przeszli na oświetlenie elektryczne. Pobawili się kontaktami, podziwowali – i skończyło się.

Oto Zakała puścił po wsi, że elektryka to „pański wymysł", że lampa „w rok nie napali tyle, co ta elektryka w tydzień" i że „bez te elektryke wsytkie z torbami pójdziem..." Na nic zdały się moje perswazje, wyliczenia ołówkowe. Po pierwsze, nikt mi nie wierzył. Po drugie, nikt nie chciał mnie słuchać, kiedy tłumaczyłem dobroczynność i opłacalność energii elektrycznej. Tak, łatwiej zelektryfikować chaty niż umysły.

Zawziętemu Zakale przyszła w sukurs Horpyna. Wiedziałem, że chodzi, szepcze, straszy, przestrzega. Ale raz podsłuchałem jej rozmowę z matką. Niechcący. Otrzymałem właśnie z Powiatu materiały na temat błędów i wypaczeń – przeczytałem... Wstrząśnięty, leżałem w łóżku, rozmyślałem, przeżywałem. Ponieważ nie zapaliłem światła, baby sądziły, że nie ma mnie w domu.

Właśnie rozkaszlała się matka i zaraz doleciał przez drzwi głos inny, starczy, skrzekliwy. Bez trudu poznałem Horpynę.

– O, kasles! – zaskrzeczała. – A ty wies, cemu tak kasles?

– Cemu, babko? – spytała.

– A bez te, o, elektrycne lampke. Co to, nie wies, Macieicha, co od tyj elektryki suchoty sie robio?

– Co wy, babko, gadacie! Suchoty?

– A tak, suchoty! – tłumaczyła wiedźma perfidnie. – Starym suchoty, młodym – kołtun!

– Kołtun?!

– I wsawica! I świerzb do tego!

– Jezu!

– A dalej: ospa. I tyfus...

– Nawet tyfus?!

– Zeby to tylko... I jesce jaglica, krzywica... Ale to jesce nie wsytko. Najgorsa: ślepota. Cy tobie, kobieto, ocow nie skoda? Przy lampie do śmierci bedzies widziała. A przy elektryce? Rok nie minie, a bez okularów nawet chaty swojej nie obacys.

– Jezu! Prawde gadacie?

– Toć opowiadajo, co w miastach sie robi. Prawie kozdy okulary ma. A od cego to, jak nie od tej elektryki?...

– Taka ona strasna?

– Mężcyzny mocy nie majo do babow bez te elektryke... Baby nie rodzo... Najwięcej jednego dzieciaka, nu, casem dwa... Dziewcęta głupiejo. Wstyd panieński zatracajo, gołe chodzo...

– Gołe? Ratuj, Matko Boska!

– Tak opowiadajo te, co w świecie byli. Spytajcie sie swojego mafistra. Ale cy on prawde wam powie? Toć on sam faryzeus... A od cego? Tak samo od tyj elektryki...

– Jezu! – jęknęła Grzybicha. – Dzie lampa? Lampe zapale!

O, tego było już za wiele. Zerwałem się z łóżka, skoczyłem w drzwi.

Lampa kopciła się już na ścianie, przy piecu Grzybicha miesiła ciasto na chleb.

– Gdzie ona? – spytałem nienawistnie.

– Kto?

– Horpyna!

– A dziez ma być?

– A to nie gadała przed chwilą z wami?

– Horpyna? – zdziwiła się kobieta. – Oj, coś przesłysało sie panu mafistrowi...

Wybiegłem na dwór, na drogę. Ale nikogo w jesiennych ciemnościach nie było. Wiatr tylko poświstywał w gałęziach drzew i na drutach elektrycznych. Zimny deszcz siepał po kołnierzu, po policzkach. Sylwety chat czerniały w mroku jak zwierzęta.

Ciarki sypnęły mi się po grzbiecie!

Straszno się zrobiło, niesamowicie! Posępnie... Bo czyż jest coś straszniejszego, posępniejszego niż dżdżysta ciemność i poświstujący wicher nad głową, rozkisłe kałuże pod nogami – niż jesienny wieczór w śródleśnej zacofanej wiosce?

O, skarbnico mądrości!

Arko przymierza!

Druhu złoty...

Skrzyneczko cudowna!

Prostopadłościanie uświadamiający!

Przyjacielu z pięcioma pokrętłami...

Głos bym stracił na daremnych prośbach i apelach, czaszkę ołysił, serce zadręczył, życie zmarnował, gdyby nie twoja, przyjacielu, siła magiczna, moc czarodziejska! Gdybyś nie ukazał wydmuszanom czarnoksięskiego oblicza twojego...

Wieść o tajemniczej skrzynce, którą ja i sołtys przywieźliśmy z Powiatu, lotem błyskawicy obiegła dwanaście chat wydmuchowskich. Przyszedł Wyprostek. Przyszli obydwaj Lipkowie. Przyszło ośmiu Grzybów z żonami i dziećmi. Tylko stryj Zakała uroczystość zbojkotował: zamknął się w chacie z babą i dziećmi jak wilk w jamie. Nawet Horpyna, choć jej nikt nie prosił, przyszła. Z pięćdziesięcioro par oczu obmacywało ciekawskimi spojrzeniami zagadkowy aparat w kątku na szerokiej desce.

– I co to za skrzynecka? – szeptano.

– Y, kuferecek jakiś...
– Abo komoda...
– A co to sklanne takie?
– Jakby lusterecko...
– Jezu, a moze to harmata!
– Wystrzeli, nie daj Boze!
– Pozabija!
Sprawdziłem wtyczki, kontakty. Stanąłem przy aparacie. Klasnąłem w dłonie.
– Drodzy wydmuszanie! – zacząłem uroczyście, świadom wielkości chwili. – Ogłaszam, wydmuszanie, koniec starej ery, ery jałowych dni i wieczorów. Koniec wioski deskami zabitej. Oto przed nami cudowne okno na świat: na cały świat współczesny. Panie Jędrzeju! – zwróciłem się do sołtysa. – Proszę dokonać uroczystego włączenia.
Sołtys, blady ze strachu, czerwony od zaszczytu, stanął przy aparacie. Przeżegnawszy się, położył palec na klawiszu.
– Proszę wcisnąć, panie sołtysie! Śmiało!
Cisza zapadła niezwyczajna, przeraźliwa... Słyszałem swoje serce... dudniło w piersiach jak młot...
Sołtys zamknął oczy – pstryknęło – to włącznik pstryknął!
I wtedy zgasiłem światło...
Ciemno się uczyniło, ciemno i przeraźliwie.
Nie oddychano, serca zamarły. Ktoś pod oknem jęknął: – O Matko Boska... zmiłuj sie!
Ktoś zaintonował „Pod Twoją obronę..." – izba podchwyciła nabożnie: „Uciekamyy sie!..."
Lecz przy słowach „ale od wszelakich złych przygód racz nas zawsze wybawiać, Panno Chwalebna i Błogosławiona", zahuczało w aparacie, ekran zajarzył – ludzie ucichli jak spiorunowani... wtem ściśnięte gardła wydały pierwsze okrzyki zachwytu:
– Rusa sie cosik, o Jezu!
– Cłek jakby?
– Cłek!
– Goły!
– O, i baba!
– Ale chuda!
– Rozdziewa sie!

– Bez wstydu!

– I majtki! – zażądali mężczyźni.

– Ej ty, nie chłop ty?

– Na co cekas!

– Właź!

– O, włazi!

– Przy ludziach! Swynia! – zgorszyły się baby.

– Wstydu ni majo!

– Sodoma gomora!

– Ale duje! – podziwiali mężczyźni.

– Duj, duj jo, kurwe!

– Za dupe! Za dupe!

Był to francuski film obyczajowy, zaledwie średniej klasy, jednakże wieś reagowała żywiołowo, wrzaski entuzjazmu krzyżowały się z jękami zgorszenia, temperatura wyładowań wskazywała, że pierwsze starcie Nowego ze Starym pociągnęło w tych umysłach nie lada rozdarcie! Zabobon, pruderia, religianctwo puszczały w szwach – ale nie bez bólu.

– Ale chuda! – wołali mężczyźni.

– Swynia! – krzyczały kobiety. – Swynia nieskrobana!

– Hańba!

– Chwat! Jesce raz, od nowa! – podjudzali mężczyźni.

– Ej ty! Jesce raz! Popatrzym!

– Co, skończyli?

– Nie bedo?

– Gadajo...

– E, juz ubrane...

Tak, już ubrani, już idą ulicami Paryża. Wielkomiejski tłok na chodnikach, tysiące samochodów na jezdniach, rozgardiasz klaksonów i rozmów, kwiaciarki, wystawy. Grzybom, Lipkom, Wyprostkowi wydłużyły się szyje.

– Alez miasto! – komentowali zadziwieni.

– Ale domy!

– Pód same niebo!

– Samochody! Ile ich?

– Jak wróblow!

– Ale sklepy!

45

– Sklep na sklepie!
– Ilez tu dobra! Ile jedzenia!
– O, restoracja!
– Aj, jedzo! Mięso!
– Śledzi! Marmulade!
– Popijajo...
– O, grajo im! Śpiewajo!
– I tańcujo!
– Alez zyjo! Ale sobie ludzi zyjo!
– Jak w Ameryce!
– Jak w niebie!

Moment był stosowny: wyłączyłem aparat, zapaliłem światło. Kilkadziesiąt gąb trwało w rozdziawieniu, dwa razy tyle oczu wpatrywało się we mnie jak w czarnoksiężnika... Wiedziałem, że odtąd mają mnie za wszechmogącego maga, że poszliby teraz za mną wszędzie: w ogień, wodę i choćby na kraj świata.

– Cemu zgasone? Zapalić! – dopraszali się. – Panie mafister, włącyć! Jesce! Jesce chcemy! Co oni jedzo? A moze znowuś porozdziewali sie! Włącyć te bajke!

– Szanowni wydmuszanie! – zacząłem głosem uroczystym. – To nie było przywidzenie ani sen, ani bajka. Oto zobaczyliście, jak ludzie żyją. Bogato, swobodnie, nowocześnie!

Odczekałem chwilę, by w natężoną ciszę rzucić:

– I my będziemy tak żyli. Tu, w Wydmuchowie!

Cicho, cisza, aż dzwoni. Sołtys podnosi nad głową słynną spracowaną chłopską rękę, aż zatrzeszczała w stawach, i zapytuje jąkając się z niedowierzania:

– M-my? N-na t-tych p-p-piaskach? N-niemozebne!

– W biedzie my zrodzone, w biedzie i pomrzem! – zawołał ojciec.

– Tak, taka juz wola boska! – zaszemrała sala. – Nas Pambóg na biednych naznacył!

– Zyć, aby zyć!

– Aby do śmierci...

– Obywatele! – przeciwstawiłem się natychmiast fali zwątpienia. – Co wy? Przecież nasz los w naszych rękach! Możemy uczynić z Wydmuchowa osadę mlekiem i miodem płynącą!

– Ale jak? Co to ma być?

– E... Pan mafister bajki plecie!

– Z piachu bica nie ukręcis...

– Otóż ukręcimy! – ogłosiłem. – Z piasku! Mamy w Wydmuchowie śliczną rzekę, obywatele, śliczny piasek, dziewiczy las! I tę rzekę, piasek i las sprzedamy wczasowiczom.

– Co? Co on gada? Sfiksował?

– Ktoz piasek kupi?

– Cha, cha, cha! Wode bedzie przedawał!

– A dziez taki głupi, co to kupi?

– Dziez te wcasowice?

Pozwoliłem im wykrzyczeć zwątpienie i niepewność, a gdy ucichli, wytłumaczyłem, że owszem, znajdą się tacy, co kupią ten piach, tę rzekę – i to na miejscu, bez wożenia towaru na jarmarki. Mało, że kupią – oni kupią i nie zabiorą! Pozostawią wszystko, jak było, i wyjadą. A za dwa tygodnie przyjadą nowi – znowu kupią, poużywają i wyjadą. I przyjdą następni.

– To jak to, panie mafister? – spytał ojciec. – Cy oni głupie, te wcasowice, cy jak?

– Wczasowicz, moi złoci, to taki człowiek, co lubi wylegiwać się na piasku, pływać w wodzie, chodzić po lesie. I on za to płaci, że poleży, popływa, pochodzi.

– Jak to? Za rzeke płaci? – dziwowali się.

– Mało tego: jak wczasowicza karmić, to on też za to płaci. Płaci za chleb, za mleko, za kartofle.

– Aleć to nie po krześcijańsku brać od cłeka za gościne! – oburzyła się matka.

– Co to my, Niemce? – poparły ją baby.

– Toć cłek honor ma! – zagrzmieli mężczyźni.

– Prawdę mówicie, ma! – przypochlebiłem się zręcznie. – Jednego przybysza, dwóch, trzech ugościć można i darmo. Ale trzystu? Pięciuset? Tysiąc?

– Tysiąc?!

– A tak, wydmuszanie, zjadą tu do nas tysiące. I każdy za swój pobyt zapłaci. Więc policzcie, ile zarobi każdy dom, każda rodzina. Będziemy mieli zasłużone dochody. Będziemy żyli dostatnio!

– E, nikt tu nie przyjedzie... Takie pustkowie...

– Przyjedzie! Przyjadą! Ale trzeba doprowadzić z miasta szosę. Most przez rzekę przerzucić. Urządzić plażę. Wybudować hotel!

47

– Wybudować – a za co? Skąd pieniędzy?

– Dostaniemy kredyty, pożyczki! Zjadą tu fachowcy. Ale trzeba będzie im pomóc. No więc jak?

– Słysycie? – zerwał się sołtys. – Pozycki, znacy sie, darmowe piniędzy! Ja głosuje za!

– I ja! – zawołał Grzyb Maciej.

– I ja! – dołączył Grzyb Piotr.

– I ja! – oświadczył Grzyb Paweł.

– I my! I my! – zgłosili się Grzybowie Jan, Kazimierz, Wojciech, Mateusz.

– I my! – krzyknęli Lipkowie, Łukasz i Jakub.

– I ja! – krzyknął Tomasz Wyprostek.

– Hurra! – zawołałem. – Budujemy wczasowisko!

– Skończy sie bieda! – cieszyli się Grzybowie, Lipkowie i Wyprostek.

– Smalec co dzień!

– I mięso!

– I marmulada!

– I śledzi!

– Bedziem zyli, jak te ludzie w mieście!

– Abo i lepiej!

– Niech zyje mafister!

– Niech zyje! Niech zyje!

Wszystkie ręce poszły w górę, gremialnie głosowano za Nowym! Ech, udało się – wygrałem! Doprawdy, chciało mi się objąć telewizor, wyściskać jak przyjaciela, wycałować, ba, sobie samemu chciałem pogratulować, lewicą uścisnąć prawicę za trafne poprowadzenie gry. Ale nie spoczywajmy na laurach, nie popadajmy w samozadowolenie przedwczesne... Przecież to dopiero początek długiej drogi.

– W takim razie, drodzy wydmuszanie, od jutra do roboty! – obwieściłem. – Do lata zostało siedem miesięcy, wierzę, iż zdążymy i wybudować co trzeba, i przygotować się wewnętrznie. Wieczorami musicie obowiązkowo oglądać telewizję, to najlepsze okno na świat, na cały świat współczesny. Zimą zorganizujemy dla kobiet i dziewcząt kursy gotowania i szycia, dla młodzieży kurs tańców nowoczesnych, naukę gier sportowych. Wierzcie mi, wydmuszanie: nie święci garnki lepią. Zaczynamy przeto zorganizowane życie świetlicowe. Już jutro przywieziemy stół do ping-ponga i rozpoczniemy turniej o mistrzostwo wsi. A potem – prelekcje, dyskusje, sympozja! Dościgniemy wiek dwudziesty!

– Tak jest! Nowe zycie! – zakrzyknął sołtys.

– Koniec zacofania! – rozległo się w izbie.

– Juz nudno z tymi zabobonami!

– Chce sie spróbować nowocesności!

– Cłek to brzmi dumnie!

– Naprzod! Ku lepsym dniom!

– Hej!

Entuzjazm ogarnął wszystkich zebranych, wola czynu, przemożne dążenie do tego, aby odrobić zacofanie odziedziczone po rządach szlachty i burżuazji, stanąć w rzędzie najbardziej rozwiniętych krajów Europy i świata, budować lepszą przyszłość dla siebie i następnych pokoleń. Sołtys włączył telewizor – ludziska wpili się oczyma w ekran, zachłannie łowili każde słowo, każdy obrazek. Zaczęło się!

Koło północy Horpyna odwołała mnie na bok.

– Ho, ho, chwat z ciebie! – powiedziała z uznaniem. – Nu gadaj, carowniku, jak ty to robis?

– Co, Horpyno?

– A to, ancykryście, ze te sklanne ludzi chodzo, gadajo jak zywe. Uj, dobra stucka!

– Mogę przynieść wam, babko, książkę, w której to wszystko opisane. Czytać umiecie?

– Cytać ja cytam – wyznała z dumą. – Z ręki. Z wody. Z mgły. Z tęcy. Ale z książki? Nie kce. Nu, gadaj zaklęcie, bo ciekawość me spiera.

– Ale nie pamiętam, w książkach ono, babko...

Przyjrzała mi się podejrzliwie.

– Załujes... Załujes, carowniku...

I odeszła, markotna, między telewidzów.

A byli już w zupełnym władaniu srebrnej muzy. Kiedy spikerka powiedziała „dobranoc” na zakończenie programu, nie wychodzili, czekali... „moze jesce sie pokaze... moze co zapomniała...”.

Rozchodzili się niechętnie... dyskutowali na drodze, przy płotach, pod chatami.

Malwina wyszła ostatnia – zwlekała, czekając na mnie. Przyparła już w sieni.

– Maniuś, alez bohater z ciebie! – wydyszała. – Pocałuj! O, ty mnie tera bardziej sie widzis niz Stach! Nu pocałuj! Przygarnij.

– Dajże spokój, Malwino.

– Kces, scyp! W kozde miejsce, nie bede krzycała!

– O nie, ja nie szczypię...

– To chodź na siano! Na stog! Aj, jak mnie prze do ciebie, uch, uduse cie, krokodylacku!

Zamknąłem drzwi szkolne i wyszliśmy nad rzekę. Spomiędzy chat dolatywały odgłosy zapalczywych dyskusji. Oddychałem głęboko, likwidując deficyt tlenowy organizmu, dziewczyna tuliła się do mnie to ramieniem, to biustem, kto inny na moim miejscu wykorzystałby to perfidnie. Szliśmy wolno, patrzyłem pod nogi, aby się nie zaczepić o co i nie przewrócić.

– Ha, na siano mówisz, na stóg... – rozważałem półgłosem. – Kiedy widzisz, Malwino... Fizycznie, owszem, jesteś, Malwino, rozwinięta, może nawet o parę lat zanadto... Ale umysłowo? Nie obraź się – umysłowo jesteś opóźniona, i to nie o lata, ale o wieki... o epokę całą.

– O cym ty, Maniuś? – wydyszała nieinteligentnie. – Nu chodź! Na siano! Pofiglujem sobie... jak tamte w telewizorku!

– Jak ci to wszystko wytłumaczyć, Malwino... – Szukałem porównania stosownego do tej mentalności, wszak umysły prymitywne rozumują metaforami, pojęciami obrazowymi, konstrukcje logiczne są dla nich niestrawne jak drogie kamienie. – No powiedz, Malwino: czy bez jednej nogi zatańczyłabyś ładnie poleczkę? Poleczkę z przytupem?

– Jak to? Kulawa?

– Właśnie.

– O Jezu! Zeb ty nie powiedział tego w złe godzine!

– Więc, Malwino, na razie, dopóki twój umysł kuleje, jesteś taką jednonogą tanecznicą. Najpierw musisz się emancypować, Malwino. A kiedy twój umysł dorówna twemu ciału, wtedy kto wie... Uwierz mi, dużo czytałem o kształtowaniu nowoczesnej osobowości...

– Znacy ta nocka zmarnowana – zasmuciła się dziewucha, trąc nogą o nogę, aż iskry sypnęły między kolanami, niczym między biegunami maszyny elektrostatycznej.

– Jeśli chcesz, możemy podyskutować...

– Dy... dysku... Jezu, jaki dręcyciel...

Wtem za naszymi plecami zazgrzytało – odwróciłem się błyskawicznie: na tle gwiazd rysowała się groźnie postać szeroka w barach, wcięta w pasie.

– Malwka, psiamać, Malwa! – zachrypiał zwierzęcy głos. – Ciebie ukatrupie i jego!

Nóż zalśnił złowrogo!

W tej samej chwili Malwina zasłoniła mnie swoim ciałem.

– Odydź! – warknęła. – Ja juz cie nie kce! Silny jesteś, ale... nieucony! Ja jego wole, mafistra!

– Nie zacynaj z nim, Malwka – chrypiał napastnik, ni to grożąc, ni prosząc. – Cy taki ozeni sie z tobo? On ucony – zrobi bachura i porzuci cie na pośmiewisko! Co ty w nim widzis, w tym kręcielu! Chodź tu, mowie!

Malwina stała między nami, drżąc jak wskazówka woltomierza prądu stałego, znienacka podłączonego do prądu zmiennego! To na niego patrzyła, to na mnie; instynkty, atawizmy, półdzika przeszłość ciągnęły ją do niego, przeczucie innego życia popychało ku mnie. Wahała się.

– Malwina! – zawołałem. – Nie załamuj się! Pomyśl o nowym, lepszym życiu! O swojej fantastycznej przyszłości...

– Nie wierz jemu! – krzyknął Stach. – On łże! To łgun! Faryzeus!

– A ty, Stachu, nie zapiekaj się w swojej nienawiści do postępu! – upomniałem osiłka. – Co ty wiesz o nowym życiu? Nic! Dlaczego nie przyszedłeś na telewizję?

– Przysed ja, był... Pód oknem – mruknął ponuro. – Widział ja to wsytko...

– Widziałeś, jak żyją ludzie w mieście?

– Yy, to jakieś bogace...

– Żadni bogace, Stachu! Tacy sami ludzie jak ty i ja, synowie chłopów, robotników. Sami sobie urządzili świat. A ty na co czekasz? Na mannę z nieba? Do miasta ruszaj, leniu, świata spróbuj!

– Jakbyś sie zmienił na takiego jak on, mafister – dorzuciła Malwina – to kto wie... Kto wie...

Stach ręce opuścił... nóż wypadł mu z dłoni. Zgarbiony, oczy wbiwszy w ziemię, pytał ni to nas, ni siebie:

– Do miasta?... Chate rodzone ostawić? W cudze strony dymać? Jezu, Jezu!

– Stachu, Stachu... – zawstydziłem zacofanego osiłka. – Podnieś głowę! Spójrz!

Wskazałem na gwiazdę-nie-gwiazdę sunącą orbitalnym łukiem przez rojowisko mrugających gwiazd na nieboskłonie.

– To sputnik, a w nim bohaterska psina! – wyjaśniłem. – Niedługo, a pierwszy człowiek wsiądzie w rakietę i poleci na Księżyc albo i dalej! Zobacz! Czterołapa Łajka nie bała się oderwać od Ziemi, a ty... ty boisz się oderwać od swojej chaty, swojego zagona!

Stach spojrzał na niebo, w oczach miał łzy. Patrzył za sputnikiem przemykającym pod gwiazdami i pociągał nosem.

– Na co to wsytko... – mamrotał. – Cy to źle mnie z mojo Malwko... Cy mnie cego brakowało... Na co mnie latać, jak ja nogi mam zdrowe... Cłeka Pambóg do chodzenia stworzył, nie do latania... Malwka, ostaw jego... Pódziem w las!

– Nie, Stachu! – zaoponowała twardo. – Ja nowego zycia sprobuje. Takiego jak w telewizji!

Stach otarł łzy rękawem... Westchnął. Podumał chwilę i odszedł w ciemność.

Zaraziła się Malwina postępem nie na żarty: w dzień czytała, wieczorem oglądała telewizję, z rana rozmyślała w łóżku, stary Lipka nijak nie mógł jej zapędzić do roboty, krowy ryczały niedojone, świnie kwiczały niekarmione, ona ślęczała nad książkami! Musiał Łukasz, a wdowcem był, sam, mimo męskiego honoru, krowie cycki miętosić, kartofle obierać, pierogi odcedzać. Raz wieczorem, gdy się do snu sposobiłem, dyskretne pukanie w szybę usłyszałem. Wyglądam: Malwina kiwa ręką, żebym na dwór wyszedł.

Uchyliłem okna.

– Odemknij, wlezę! – wyszeptała żarliwie. – Ja się rozwijam, wpuść! Wiem już, co to wyzysk, co niewola... kto wstrzymał Słońce, ruszył Ziemię...

– Kto? – sprawdziłem.

– Kościusko – oznajmiła. – Wpuść!

– Nie, Malwino...

– Maniuś... Ja już nie mogę – prosiła ze łzami w oczach. – Oni cięgiem pokazujo w telewizorku tych Chrancuzow...

– Ależ zrozum, Malwino... – perswadowałem łagodnie. – Ja nie przyjechałem tutaj na zaloty...

– Jaki ty nowocesny!

– Malwino, jeszcze nie możemy, twój umysł dopiero drgnął.

– Przecie sie rozwijam!

– Ale do ciała twego daleko mu jeszcze, Malwino.

– Maniuś, nie dręc!

– Nie osiągnęlibyśmy pełni...

– A sprobujmy!

– Tyle jeszcze do zdziałania, Malwino...

– Och, zlituj sie! Wpuść! Bo... bo sie załamie! – zagroziła.

Zaniepokoiłem się. Czy nie przeciągam struny? Czy nie wymagam od niej zbyt wiele?

– No, do pocałunku może i dojrzałaś...

– Uch!

Złapała za szyję, przygarnęła nad parapetem, wpiła się ustami w usta... prymitywna, prymitywna jeszcze. Ale rokowała nadzieje.

– Wystarczy na tym etapie – zakończyłem, spoglądając w ciemność, czy nie majaczy gdzieś sylwetka wąska w pasie, szeroka w barach. – Pracuj, Malwina, nad sobą, a zobaczymy...

– I jak sie rozwine, pódzies ze mno w siano? – ucieszyła się. – Pódzies? Aha: emancypacja!

– Co emancypacja?

– Takie słowo zapamiętałam. Wiem, co znacy!

– Brawo, Malwinka.

– Maniek! Ja dla ciebie, ech! – Nozdrza jej się rozszerzyły zmysłowo. Zmrużywszy oczy jak kocica, westchnęła... przeciągnęła się lubieżnie, aż puściły haftki u serdaka. – Ja dla ciebie nauce sie... francuskiego!

– Nie trzeba, Malwino... Na razie opanuj język ojczysty... Staraj się nie mazurzyć... A co ze Stachem?

Machnęła ręką lekceważąco.

– Wyjechał... Do miasta... Ale co mi tam on... Ty, ty, mój sokoliku, ty tera najpiekniejsy!

I jeszcze raz za szyję chwyciwszy, wargami gorącymi, zębami białymi dopadła mych ust... Z pięć minut trwał pocałunek, tak że mogłem w tym czasie niemało przemyśleć i dojść do niejednego wniosku.

W końcu grudnia to było, wieczorem. Korzystając z ferii zimowych odpoczywałem sobie, leżąc leniwie na łóżku, radia słuchając, gdy zapukała Grzybicha.

– Wzesła piersa źwiazdka... – powiedziała nieśmiało. – Nie zasiadby ty z nami, Maniuś, do wiliji?

– Maniuś to ja dla was byłem piętnaście lat temu – skarciłem babinę za sentymentalizm.

– Przepraszam pana mafistra – poprawiła się od razu. – Ale jest miejsce... A my dwoje takie same... stare...

Żal mi się zrobiło tych prostych zagubionych ludzików. At, pójdę, postanowiłem: przyjrzę się osławionemu obrządkowi, a przy okazji, kto wie, może uda mi się dokonać jakiegoś wyłomu?

Zgasiłem mojego pioniera i udałem się do izby kuchennej. A jakże, gospodarze wybielili ją na święta siną glinką, wymyli podłogę do białości, zawiesili czyste ręczniki. W kącie, pod obrazem jakiejś kanonizowanej schizofreniczki, stał obrzędowy snop słomy. Na stole, a właściwie niskiej szerokiej ławie, rozścielił Grzyb wiązkę siana, kobieta przykryła je białym obrusem. Z książki do nabożeństwa wyjęła opłatek, położyła na płótnie. Przycisnąwszy książkę do piersi, wpatrzyła się we mnie miłośnie.

– A pamiątki... nie kce obacyć? – spytała bezosobowo.

– Pamiątki? – zdziwiłem się. – Jakiej pamiątki?

Spomiędzy kartek wyjęła coś czarnego, ni to liść, ni kwiat zasuszony i spłaszczony na blaszkę.

– Co to?

– Twoj pę... Twoj pępusek, synku... Pępusek. Jak odleci, w książke sie wkłada, zeb potem dzieciak pamięć miał... na uconego wyros... Na księdza.

– Yy, głupia baba! – mruknął Grzyb. I niecierpliwym ruchem wyrwał kobiecie „relikwię", z odrazą cisnął między drewka pod piecem.

Grzybicha opuściła głowę, jakby stało się coś naprawdę przykrego.

– Zawracas mafistrowi głowe jakiemiś zabobonami! – skarcił stary.

– Siadajmy! Jeść sie chce...

– A pacierz? – spytała zdezorientowana. – Jak to? Pacierza nie zmowim?

Stary spojrzał na mnie bojaźliwie.

– A tam, pacierze! Pacierzem sie nie najes! – mruknął i bezceremonialnie za stołem zasiadł.

Ja zasiadłem, zasiadła też, rada nierada, Grzybicha, mamrocząc modlitwę pod nosem.

Grzyb sięgnął po opłatek. Wziął go z namaszczeniem, wyciągnął ku mnie rękę, ale gdy nasze oczy się spotkały – zrozumiał.

Cofnął rękę, niedbale rzucił opłatek na obrus.

– Ot, choroba, zabobon na zabobonie... – wymamrotał zmieszany.

– Całkiem jak u tych, no... Afrykańców w telewizji... Ni ma co, dawaj, Jańcia, coś konkretnego, a nie te... No... Sym... sym..

– Symbole – podpowiedziałem.

– O, to to, symbole! Symbolem sie nie najes.

Grzybicha postawiła na obrusie miski z tradycyjnymi potrawami: śledzie, grzyby z cebulą, gotowane gruszki, kaszę z makiem, postne placki, kutię. Stary rzucił się na jadło łapczywie, widać cały dzień pościł. Ja spróbowawszy tego i owego – objadać się nie lubię, zbyt najedzony czuję się ociężały i tracę entuzjazm – podziękowałem za posiłek. Grzybicha siedziała przy stole przygnębiona, z przyganą patrzyła, jak Grzyb pałaszuje. A jadł zwyczajnie, bez obrzędowej nadbudowy. Zjadłszy – nie przeżegnał się.

– To i na pasterke nie pódzies? – rzekła zgorszona.

Rozparł się, paska popuścił.

– Cy ja głupi... – mruknął, wydłubując paznokciem jedzenie z zębów. – Telewizor pod bokiem, a ja mam do kościoła dymać tyle kilometrów? Bez taki śnieg? Środkiem nocy? Klęcyć, jak se moge w ławce posiedzieć?... Przedstawienie wilijne dajo, chodź i ty...

Grzybicha i z tuzin innych bab i chłopów poszli jednak śród nocy przez lasy i śniegi do kościoła. My ze starym udaliśmy się do szkoły.

W świetlicy siedziała już przed ekranem Malwina: opatulona modnym kożuszkiem, tupała obcasikami szpilek, rozgrzewając nogi w nylonowych pończochach, nogi śmigłe i mocne.

Usiadłem przy niej, dziewczyna natychmiast spiekła raka ze szczęścia.

– Co nowego? – spytałem. – Stach nie pisze?

– Przecież wiesz, że kto inny mnie teraz obchodzi – powiedziała, wymownie wtulając się we mnie ramieniem. Z satysfakcją zauważyłem, że przestała mazurzyć. – Co nowego, pytasz? Załatwiłam kurs gotowania i szycia! – pochwaliła się. – Ruszamy zaraz po Trzech Królach... to jest, chciałam powiedzieć, po szóstym stycznia.

Schodzili się chłopi, rozsiadali, patrzyłem, ciekaw, kto przedłożył spektakl telewizyjny nad kościelny. Przyszedł Wyprostek, przyszedł Łukasz Lipka. Z Grzybów zjawili się Kazimierz, Wojciech oraz sołtys Jędrzej, i to z żoną. Wyglądało na to, że telewizja ma u mężczyzn większe wzięcie niż u kobiet, tak, one zawsze były tradycjonalistkami, na ich babskiej pamięci i poczciwości stoi ta cała kultura ludowa.

Komentowano półgłosem reportaż o tych, co na morzu, z dala od domów rodzinnych. Gdy spikerka zapowiedziała widowisko jasełkowe, poprawiliśmy się w ławkach, ucichliśmy.

Rozległy się dźwięki znanej kolędy „Lulajże, Jezuniu" w uwspółcześnionej aranżacji – i zaczęło się, nawet pomysłowo. Zespół młodzieżowy w białych kożuszkach grał i śpiewał jako pastuszkowie, tancerki o srebrnopiórych skrzydłach odtańczyły aniołów, zaś dwoje renomowanych aktorów odegrało pantomimę Józefa i Maryi nad żłobkiem...

– Świetna obsada – pochwaliła Malwina.

– O, Jezusek! – ucieszyła się sołtysicha. – Jaki kłuściutki!

– Ścichnij! – uspokoił babę Jędrzej.

Wół i osieł się pokazali, pięknie stylizowani, pocieszni.

– Ech, i pomyśleć, że kiedyś brało się te mity na serio – westchnęła Malwina.

– Już nie? – spytałem, radość podpłynęła mi do gardła.

Malwina przytuliła się mocniej.

– Zmieniłam światopogląd – wyznała szeptem. – Na materialistyczny.

O, wspaniała to była wiadomość, nie mogłem nie podzielić się taką nowiną z innymi.

– Słyszeliście? – zawołałem. – Ona zmieniła światopogląd!

Maciej, sołtys, Wyprostek oderwali oczy od ekranu. Nie wierzyli.

– Naprawdę? – spytał Maciej z lękiem w oczach. – Naprawdę zmieniłaś ten... no... światopogląd?

– Przedwczoraj! – oznajmiła. – Przeczytałam Feuerbacha... Ach, dopiero on pomógł mi zrozumieć tragedię chrześcijaństwa! Tyle lat wielbiono wyimaginowanego Boga, zamiast człowieka wielbić!

Objąłem dziewczynę i nie wstydząc się świadków, serdecznie ucałowałem w oba policzki... Oczywiście, skorzystała z okazji, aby wpić się w moje usta zachłannie i długo.

– Gratuluję, gratuluję, Malwino! – cieszyłem się spontanicznie. – No i jak się czujesz w nowym światopoglądzie? Mów, niech ludzie wiedzą!

– Całkiem w tamto nie wierzys? – dopytywał się Maciej. – Ni w świętych, ni w piekło, ni w niebo?

– I nie strasno tobie bez świętej opatrzności? – kręcił głową sołtys.

– Gadaj, jak to jest... Malwina przeciągnęła się szczęśliwa.

– Ech, mówię wam... Jakbym się na nowo narodziła... Inne samopoczucie... Kiedy się do końca otrząśnie z tych mitów i zabobonów, to po prostu lepiej się śpi... Lżej oddycha... Życie ma inny smak!

– A nie lekujes ty sie aby, Malwina, z kawalirami? – przycięła sołtysicha. – Moze od tego te smaki...

Malwina puściła mimo uszu grubiańską aluzję co do jej prowadzenia się, a ja, aby zatrzeć przykre wrażenie, powiedziałem, wskazując ekran, że świetnie gra Matka Boska.

– Ale czy nie nazbyt serio? – zauważyła Malwina. – Przecież to trzeba z przymrużeniem oka...

Zatupotało w sieni i rozległo się proste, amatorskie śpiewanie: weszli chłopcy z gwiazdą, śpiewając „Przybieżeli do Betlejem pasterze...".

Żywiołowo śpiewali, aby głośniej.

– A to urwisy, telewizję zagłuszają! – sarknął sołtys.

A Maciej, przyjrzawszy się kolędnikom uważniej, zawołał:

– Zakalaki!

Śpiewali, kręcąc tę swoją gwiazdę ze świeczką w środku, ozdobioną aniołami i zwierzętami z papieru przyklejonymi do ramion.

– A poszli precz, guślarze! – zatupał nogami sołtys. Zachybotali się, cofnęli do progu. – A kysz, zabobonniki! Łazo po wiosce z tymi przesądami, zacofańce...

– Zamiast do skoły chodzić, ucyć sie! – dorzucił Grzyb. I wstał do nich...

Wycofali się w popłochu. Maciej zamknął drzwi za nimi, podszedł do aparatu, podregulował fonię. Właśnie śpiewano „Przybieżeli do Betlejem", ale w wykonaniu nowoczesnym, artystycznym.

Postanowiliśmy wykorzystać okres zimowy – to że błota zamarzły i droga stała się dostępna dla ciężarówek – na zgromadzenie budulca pod budowę ośrodka. I tu okazało się, że w sołtysie drzemią istne talenty organizatorskie. Raz dwa nauczył się biurokratycznej procedury:

pisania podań, odwołań, interweniowania, protekcji. Jednego nie mógł załatwić: przydziału cegły na pawilon letniskowy.

Staliśmy w śniegu na skarpie, w miejscu, gdzie miało wyrosnąć wczasowisko.

– Nie byliśmy w planie – wyjawił zdenerwowany. – A bez planu to i sam czort nie wydębi u nich ni cegiełki.

– Czort nie, moze ja? – usłyszeliśmy za plecami głos starczy, skrzekliwy. Obejrzeliśmy się.

Nieopodal stała Horpyna. Jedną ręką przytrzymywała łachmaniastą chustę, drugą wspierała się na kosturze.

Nie była sama. O metr za nią sapał niedźwiedź. Wiązkę chrustu dźwigał na plecach. Przyglądał mi się z zainteresowaniem.

– Przydziału nie dali – mruknęła Horpyna. – A to psiekrwie, biurokraty... Oj, rozmnozyło sie to biurowe robactwo... Hm, a duzo wam tej cegły trzeba?

– Z osiemdziesiąt tysięcy – rzekł sołtys. A ja roześmiałem się.

– Czyżbyście, babko Horpyno, zamierzali nam przydział wyczarować? – spytałem.

– Śmiejes sie... – mruknęła. – Wiem, ze mnie nie sanujes. Ale usanujes! Poprawiła szmaty, ogarnęła się. Stuknęła kosturem o grudę.

– Cicho sa! Nie gadać! – rozkazała.

Zastygła...

Koncentrowała się...

Przymknęła oczy i w dolinie... jakby... pociemniało. Nie wierzyłem własnym zmysłom: oto zaruszały się drzewa, zakołysały... zimny wiatr musnął nas po policzkach... podmuchy wzmogły się, zrywając śnieg, zakurzyło, zawirowało, słońce znikło za śnieżną zadymką, pociemniało w dolinie! Niedźwiedzisko uniosło łapy w górę i zawyło posępnie... rozskomliły się psy we wsi, jak podczas zaćmienia! W wichurze rozległy się szatańskie poświsty, jęki, okrzyki!

Dłoń szponiastą, rozcapierzoną, wyciągnęła Horpyna w stronę Powiatu.

– Ej, ty tam, słysys! – zawołała w zawieruchę. – Ty na drugim piętrze, pokój cterdzieście jeden. Tak, ty! Nie oglądaj sie na drugiego, nie udawaj durnia, tak, ty, do ciebie mówie, tumanie! Odłóz bułke na potem, tera bierz drucek seździesiont ctery. I pis: Przydzielamy... na budowe... letniska... w Wydmuchowie... osimdziesiąt tysięcy... słownie:

osimdziesiąt tysięcy... jednostek... ceramicnych. A tera podpis! I stempel! I ślij posłańca dzie trzeba, a kopie, tumanie, daj Grzybowi Maciejowi, w sklepie naprzeciwko jest, to nam przywiezie...

Co rzekłszy, opuściła Horpyna rękę – zawierucha jakby uspokoiła się... pojaśniało... śnieg opadał... ukazało się słońce, drzewa znieruchomiały, psy ucichły.

Otworzyła baba oczy, trochę nieprzytomne, jakby z dalekiej, wielodniowej delegacji wracała. Zmęczyła się bardzo, dyszała.

– C-co t-to b-było? – spytał sołtys, dzwoniąc zębami z zabobonnego strachu. – Trójco Przenajświętsza, miej nas w swojej opiece! Żegnał się raz za razem...

Teraz przejrzałem niecny zamiar czarownicy. O, nie, nie o dopomożenie nam w opresji chodziło tej reakcjonistce. Chciała zademonstrować swoją siłę czarnoksięską! Zastraszyć wieś, przyhamować postęp w fazie pierwszego rozruchu! Ach, szczwana sztuka!

Poklepałem sołtysa po ramieniu.

– Nie bójcie się, sołtysie, to nic nadprzyrodzonego – powiedziałem dla dodania mu odwagi. – Co to, nie słyszeliście o telepatii, jasnowidzeniu i innych zjawiskach parapsychicznych? Nie wiecie, że to zagadki rozszyfrowane już przez naukowców?

Niedźwiedź spojrzał mi w oczy i popukał się łapą w czoło.

– Jeśli chcecie, zrobię wam w świetlicy prelekcję na ten temat – dorzuciłem, gdyż sołtys wcale nie odzyskał animuszu po moich słowach. Wprost przeciwnie – po kroku, po pół cofał się, byle dalej od Horpyny i niedźwiedzia.

A Miszka się zdenerwował. Rzucił chrust w śnieg i człap, człap, podszedł do mnie.

– Biedne zahipnotyzowane zwierzę! – zawołałem bezkompromisowo.

Niedźwiedź zamierzył się prawym sierpowym i kto wie, czy nie zaaplikowałby mi nokautu, gdyby nie Horpyna.

– Spokój, Miszka! – rozkazała. – Nie twoje sprawy!

– Ale nie moge słuchać, jak ten facet dziamga! – rzekło zwierzę basem.

Tknęło mnie przeczucie.

– A może on przebrany! – zawołałem. – Może to ktoś z bandy? Sołtysie! Sprawdzono?

Horpyna pokręciła głową z politowaniem.

– Nie krzyc, Maniuś – rzekła dobrotliwie. – Ja tu wam pomagam, a ty na mnie krzycys. Ze cary? Jak bieda, kazdy sposób dobry, nie? Grunt, ze cegłe dostaniecie...

– A co wy, Horpyno, taka łaskawa dla budowy, ha? – przyparłem ją do muru. – Czy wam aby nie o co innego idzie?

– Oj, głupi ty, głupi... – odparła. – Chce przysługi za przysługe! Ja tobie przydział załatwiła, ty – wyjaw mnie zaklęcie na te telewizje... Odetchnąłem.

– Naprawdę, Horpyno? Naprawdę chcecie wiedzieć, jak działa aparat?

– Korci mnie to i korci, spać nie moge przez tych sklannych ludziow.

– Dobrze, Horpyno! – zawołałem. – Za chwilę...

Kopnąłem się do szkoły po encyklopedię techniczną.

Przyniosłem księgę, wręczyłem babinie.

– Tutaj, Horpyno, są wszystkie zaklęcia... przeczytacie, zrozumiecie.

– A powiedzieć nie mozes?

– Nie pamiętam, babko. Bo to bardzo długie zaklęcie... Kilkadziesiąt stronic. A czytać litery potraficie?

– Jakoś dojde...

Zabrzęczały dzwoneczki... Po lodzie przejeżdżał rzekę ojciec, saniami z miasta wracał. Z daleka wymachiwał brązową kopertą.

– Przydział! – wołał. – Przydział mamy! Osiemdziesiąt tysięcy...

Sołtys, zamiast się cieszyć, znowu popadł w zabobonną drżączkę.

– N-no i c-co, p-panie m-magister – wyjąkał. – C-co p-pan n-na t-to?

– W swoim czasie nauka i to wyjaśni – oświadczyłem zdecydowanie i niedźwiedź znowu ruszył w moją stronę. Ale Horpyna powstrzymała go kosturem. Kazała chrust podnieść.

Podniósł, poszli... Dwie czarne sylwety na białym śniegu – on z furą gałęzi na plecach, ona z grubą księgą pod pachą.

Niespodziewanie zapałał ojciec miłością do elektrotechniki! Zaczęło się od tego, że nareperował sołtysowi zepsute żelazko – rozkręcił, pogmerał i znowu funkcjonowało jak trzeba. I zaraz spróbował sztuki trudniejszej: coś tam w kątku wiązał, nawijał, lutował... i oto nad drzwiami pojawiło się w izbie zagadkowe urządzenie z metalowym krążkiem. Prowadził do niego po futrynie i belkach w sieni aż na dwór czerwony kabelek.

– Jezu, co on caruje! – obawiała się Grzybicha.

– A to! – odparł i wdusił palcem przycisk.

Zadzwoniło!

Dzwonek, elektryczny dzwonek Grzyb zmajstrował!

Zmieniał się... przeistaczał z dnia na dzień. Raz przyłapałem go w stodole stojącego na środku klepiska z cepem w ręku. Trzymał cep w dłoniach, ale nie ku młóceniu, lecz oglądaniu. Oglądał lśniący, wypolerowany rękami dzierżak.

– To ja tym młoce? – dziwił się głośno. – Tym? Co to jest? Czy to cep?... O Matko Boska, czymś takim ja młocił? Co zime, co rok, dniami, wieczorami? Yy, nie wierze, to musi nie ja młocił... musi kto inny... inny Grzyb! Czyż ja, Maciej Grzyb, mogłem być taki ciemny, żeby tym młócić? A tfu!

Odrzucił w kąt przestarzałe narzędzie. Wyszedł na środek gumna i opuściwszy ręce kiwał głową, oczy wytrzeszczył z niedowierzania.

– I to ma być gospodarstwo? – mruczał, rozglądając się wkoło, jakby dopiero na oczy przejrzał. – To naprawde moj chlew? Moja chata? Stodoła? Takie przedwojenne, pańszczyźniane, zacofane – i moje? – Przetarł oczy. – O Matko Boska, Matko Boska, gdzież ja rozum miałem! Czemuż tak długo byłem ciemny!

Nowe dochodziło w nim do głosu.

Oto wkrótce wyprowadził Grzyb z obórki krowę na postronku.

Grzybicha zabiegła mu drogę.

– Co ty, całkiem ty sfiksował? – zawołała, wpychając kościste bydlątko z powrotem w drzwi. – Krowe, zywicielke przedawać? Ty stuknij sie w swoj stary pokręcony łeb! Co my bedziem jedli? Cym mafistra karmić bedziem, człowieku?!

– Po pierwsze, nie człowieku, ale człowieku – poprawił żonkę spokojnie. – A po drugie: ścichnij, kobieto! Wiem, co robie, wszystko przekalkulowane... nie ma co te Maćke chować, onaż nierasowa, Jańcia. Lepiej opłaci się kupić mleko, niż marnować siano dla takiego darmozjada. Puść, sprzedam...

– Człowieku, opamiętaj sie! – rozpaczała Grzybicha. – Toć ty wsytko poprzedajes niedługo! I kobyłe! I świni!

– A poprzedaje, Jańcia, poprzedaje...

– To i ziemie przedawaj! – jęknęła.

– A przedam, przedam... Nie ma sensu ten nasz zagon piachu obracać. Pługa szkoda, czasu szkoda.

61

– A z cego żyć bedzies? Co jad?

– Sklep robio w wiosce, w sklepie sie kupi chleba, śledzi, konserwy...

– Za co?

– Chłopo-robotnikiem bede. Zarobi się przy moście, przy budowie. Z letników trochę kapnie. Takie gospodarzenie jak nasze to tylko marnowanie robocizny, Jańcia, dokładanie do niczego. No, puść, Jańcia... Sprzedam krowę, pralke tobie kupie, prodziż... Sołtysy kupili – a my co, gorsze?

Wzmianka o pralce udobruchała nieco Grzybichę.

– Taka z wyciskacko bedzie? – upewniła się.

– Z wyciskaczko...

– A nu, jak tak...

Wieczorem przywiózł Grzyb z miasta pralkę, prodiż, worek jakichś brzękotek. I książkę.

Dopiero teraz zanurzył się Grzyb w nowoczesność. Zanurzył się i, rzec można, zatonął. Nie pomagały lamenty żony: zaszył się w kącie między łóżkiem a oknem i czytał, czytał... Któregoś dnia odrysował z podręcznika – węglem na ścianie – schemat, oczywiście w wielokrotnym powiększeniu. Następnie w różnych, tylko jemu wiadomych punktach powbijał w ścianę gwoździe i haki i sięgnął po worek. Za dwa rogi potrząsnął – zabrzęczało – wysypał zawartość na łóżko. Czego tam nie było... Jakieś śrubki, cewki, kondensatorki, lampy...

I ze śrubokrętem, obcęgami i lutownicą zabrał się do montowania części na ścianie!

Po wsi poszło: Grzyb sam robi telewizor!

Sąsiedzi, ciekawi sprawy, codziennie przychodzili popatrzeć, jak idzie robota, i pogadać. A było o czym.

Wchodząc, nie odmawiali sobie przyjemności zaanonsowania się dzwonkiem. – Proszę! – odpowiadał Grzyb, nie odrywając się od aparatu. Wchodzili, rozsiadali się na ławie, palili papierosa za papierosem, gadali. Mieli dużo czasu, wiosenne prace jeszcze się nie zaczęły. Lubiłem – poprawiając wypracowania, przygotowując ćwiczenia – posłuchać sobie przez drzwi tych chłopskich pogwarek.

Raz, koło Wielkanocy, parę dni po tym, jak radio i telewizja poinformowały o pierwszym locie człowieka w Kosmos, wstąpili Lipka i sołtys z nowiną, że Wyprostek wymłócił zboże.

– Wiem – rzekł Maciej. – Młocarnią na motor elektryczny.

– Ale nie wiecie, ile zboża namłócił – rzekł Lipka. – Dwa razy tyle, co cepem. Osiemdziesiąt pudów!

– Jak to? – zdumiała się Grzybicha. – Zboża tyle samo, a ziarna dwa razy więcej?

– Bo maszyną – objaśnił Lipka.

– A maszyny podnoszą wydajność z hektara – dorzucił fachowo sołtys.

Grzybicha się roztkliwiła.

– Oj te maszyny, te maszyny... – gderała, otwierając prodiż – co one wyprawiają! A najbardziej elektryczne. Na elektryczności pieczone – wszystko jakieś większe, lepsze. Sprobujcie!

Wzięli, spróbowali.

– O, tak! – pochwalił sołtys, spróbowawszy. – Smaczniejsze...

– Tłustsze jakby – dorzucił Lipka, zajadając.

– Tłustsze i większe! – przytaknęła Grzybicha z zapałem. – Ja już od paru dni wybieram sie do księdza...

– O? A po co? – zaciekawił się sołtys.

– A żeby nowe święto założyć!

– Nowe święto? Jakie?

– A Matki Boskiej... Jest Matka Boska Zielna, jest Siewna, jest Gromniczna – niechaj będzie i Elektryczna!

Roześmiali się chłopi pobłażliwie nad babską pobożnością i do swoich spraw wrócili.

– Doradźcie, Jędrzeju... – rzekł Lipka do sołtysa, który zaczął uchodzić za pierwszego we wsi eksperta od rolnictwa i ekonomiki. – Wiosna idzie, nie wiem, na co podpisywać z Centralą kontraktację: na truskawki czy na pieczarki...

– Pieczarki? Kiedy pieczarki potrzebują końskiego nawozu, Łukaszu, a wyście sprzedali kobyłę na motocykl – skonstatował sołtys.

– Hm... – zmartwił się Lipka. – To co, truskawki mi radzicie?

– Truskawki rzecz popłatna... Ale zanadto zależna od pogody. No i moc roboty w szczycie, to niedobre. Ja na waszym miejscu, Łukasz, założyłbym plantację hypericum perforatum...

– Hypericum co?

– Perforatum... To po łacinie. U nas mówiło się na to świętojańskie ziele. Albo dziurawiec.

– Ach, dziurawiec! – skojarzył sobie Lipka. – No, patrzcie chwasta, jak awansował.

– Tak, awansował – ciągnął wykład sołtys. – Na plantacjach rośnie...
Roboty przy nim niewiele, tyle co zasiać, a potem, jak dojrzeje, zebrać
i wysuszyć. A dochodu ze dwieście tysięcy z hektara!
– Dwieście?! – zapalił się Lipka. – Nie ma co, biorę się za to...
Znowu zadzwoniło, Wyprostek przyszedł. W kombinezonie. Utru-
dzony był młócką, ale zadowolony.
– Ech, co młocarnia, to nie cep! – pochwalił się. – Muszę jeszcze parę maszyn kupić: siewnik, koparkę, a może i traktor...
– Słusznie! – pochwalił sołtys. – Macie, Tomaszu, najwięcej hektarów
i kto ma się brać za rolnictwo wielkotowarowe jak nie wy? My, małorolni
i bezrolni, musimy specjalizować się w uprawach intensywnych i usługach...
– Traktor? Ho, ho, traktor! – rzekł zazdrośnie Lipka. – Ale skąd tyle pieniędzy weźmiecie, Tomaszu?
– A co to, nie ma w bankach kredytów? – odpowiedział za Wyprostka sołtys. – Weźmie sobie Tomasz pożyczkę i kupi... A musi się maszynami podpierać. Stach do miasta wyjechał, Wala w szkołach... Bez maszyn nie dałby rady.
Wtem coś zahuczało w telewizorze – sypnęły iskry – Grzyb odsko-
czył... Prąd trzepnął go po palcach.
Sołtys, Lipka syknęli ostrzegawczo, że z prądem nie ma żartów,
a Wyprostek wręcz ofuknął Grzyba za amatorszczyznę.
– Nie szkoda wam, Macieju, czasu i zdrowia na tę dłubaninę? –
rzekł. – Ja tam sobie kupię telewizor w sklepie. Gotowy.
– Ile cali? – zaciekawił się Lipka.
– A ze dwadzieścia jeden.
– To i ja kupię. Dwadzieścia trzy!
– Tak? – oburszył się Wyprostek. – To ja dwadzieścia pięć!
– A ja trzydzieści! – przebił Lipka.
– E, takich nie ma.
– To kupię dwadzieścia dziewięć i odkurzacz!
– E, odkurzacz to ja już mam, Łukaszu – pochwalił się Wyprostek.
– Wy tam ze mną nie wygracie... Nie dam się! U mnie wszystko będzie
największe...
I mniej więcej wtedy zajarzył się na ścianie ekran telewizora – ze-
rwaliśmy się wszyscy na równe nogi!
Po ekranie zalatały świetliste zygzaki, a z głośnika szum się wydo-
był, pierwsze słowa... i w tej samej chwili ukazała się w szkle wielka sa-

la z osobami siedzącymi wzdłuż długich stołów, a w głębi, za trybunami, ktoś przemawiał żarliwie, przekonywająco.

– Hurra! – zawołałem, łapiąc starego w objęcia. – Zwycięstwo! Zwycięstwo... ojcze!

Tak, powiedziałem „ojcze", i myślę, że zasłużenie. Oto naocznie udowodnił Grzyb, że jest człowiekiem z naszej epoki, z naszej ery: człowiekiem cywilizowanym.

Lipka, Wyprostek, sołtys tak samo byli wielce poruszeni sukcesem sąsiada, podziwiali aparat.

– Działa, działa, a niechże cię uściskam, Macieju! – cieszył się sołtys, obejmując ojca serdecznie.

Grzyb przyjął gratulacje, ale nazbyt znużony był uporczywą pracą, zwłaszcza w ostatnie noce, żeby z nami świętować zwycięstwo. Zdjął trzewiki i legł na łóżku. Ułożył sobie poduszkę i z rękami pod głową oglądał transmisję, dumny i szczęśliwy.

– Oj, złote ma ręce... – podziwiał Lipka.

– Daleko zajdzie... On jeszcze syna prześcignie! – prorokował sołtys. – No, patrzcie: zrobił sobie telewizor i teraz leży, patrzy... Macieju, a kupcie sobie w nogi elektryczną poduszkę. Ja kupiłem. Mówię wam – taka, zaraza, przyjemna, że rano całkiem nie chce się wyłazić do roboty. Leżałby sobie człowiek i leżał...

– A to już żona was nie grzeje, Jędrzeju? – zachichotał Lipka.

– W nogi? U mnie żona nie śpi w nogach.

– No to dzieci.

– Dzieciom kupiłem specjalne łóżko, oddzielne.

– Oddzielne? – zdumiała się Grzybicha. – Widzę, pańskich myśli dostajecie, Jędrzeju...

– A co! – odparł pyszałkowato. – Sołtys jestem! Urzędnik. Na lato wentylator sobie kupię. Taki, jak był na biurku u tego ministra w telewizji.

Grzyb przeciągnął się w łóżku, ziewnął.

– A zrób no, Jańcia, cztery kawy – zażyczył sobie. – Aha, i Jakuba zawołaj, ciekawe, co powie o jakości odbioru...

Grzybicha pokiwała głową, zgorszona.

– Ot, rozpuścił się! Włącz, wyłącz, herbatkę podaj, Jakuba zawołaj. A co to ja, na posyłki?

– Póki telefonu nie ma, Jańcia... Gdyby telefon był, wykręciłoby się numer i gadałby se człowiek z Tomaszem czy Łukaszem. Bez chodzenia po nadworzu. Leć, leć, Jańcia, zawołaj, ciekawe, co myśli o misji Jarringa...

Grzybicha poszła... Ale ledwo próg przestąpiła, wróciła wzburzona.

– Zakała miedzę zaoruje! – jęknęła. – Wyłaź, leniu! Maciej skrzywił się, dźwignął nieco. Poprawił poduszkę i... legł znowu.

– A tam, miedza – zlekceważył. – Na Bliskim Wschodzie cały półwysep zajęty. A ona mi tu...

Grzybicha okno otworzyła i wezwała nas, abyśmy zobaczyli, co się dzieje.

– O, cały zagon zaorany! – Spod pieca, spomiędzy polan, wyłuskała siekierę, podała Maciejowi – ten odtrącił narzędzie. Ale podźwignął się nieco i siedząc w łóżku, popatrywał za okno.

– Prowokuje... – mruczał. – Prowokuje mnie, pieniacz...

Coraz oglądając się w naszą stronę, Zakała orał pod gruszą, po obydwu jej stronach. Wyglądał na mocno zdenerwowanego. Wreszcie, odwaliwszy skibę przez środek Maciejowego zagona, stanął.

Ojciec uśmiechnął się pobłażliwie.

– Myśli, że na głupiego trafił – mruknął.

Zakała, zniecierpliwiony, zatupał w piachu.

– Miedza i cały zagon twojego zaorane! – wrzasnął. – I na co jesce cekas, psiawiaro! Wychodź!

– Powiedz mu, Jańcia, że może sobie całe moje pole zaorać... I niech mi da święty spokój – rzekł Maciej ziewając i poprawiwszy poduszkę, legł na powrót.

Za oknem zacharczało, zabulgotało, zazgrzytało!

Ucichło...

Po minucie usłyszeliśmy głos nowy: rozpaczliwy, proszący.

– Nu, Maćko, nu, co ty... Wydź... Wydź, Macieju... Zlituj sie, wydź... Toć nie bede bił sie o miedze sam z sobo! – błagał Zakała.

Ale ojciec przestał go słuchać. Inny dźwięk go zainteresował – daleki warkot potężnej maszyny.

– Co to? – spytał. – Co to tak warczy?

– Rzekę regulują, bo dzika – rzekł sołtys.

Grzyb pokiwał głową... Oczy mu się zamykały sennie... Jeszcze spojrzał raz i drugi znużonym wzrokiem w telewizor. I zasnął.

Transmisja nabrała rumieńców – następny mówca przemawiał jeszcze żarliwiej, jeszcze bardziej przekonywająco.

Za oknem odżyły krzyki. Tym razem krzyczała Zakalicha.

– Co me bijes! Nie bij, bo jak oddam, to nogi wyciągnies!

Wyjrzałem: Zakała bił grabiami żonę.

– Muse bić! – stękał, bijąc. – Ręcy świerzbio, muse!

– To mnie?

– A kogo?

– Ja casu ni mam! Krowe bij!

– Yy tam, krowa... Nu, ale lepsa ona niz nic...

Sołtys zafrasował się.

– Budujemy, upiększamy, staramy się, ale co z Zakałą? – spytał. – Żeby nam wszystkiego nie zeszpecił tą swoją kurną chatą, zacofaniec!

– Może by go podpalić? – zaproponował Lipka.

Tak, to był problem, ten Zakała. Wszystkie akcje bojkotował, dzieciom do szkoły chodzić nie pozwalał. Z postępu szydził, na maszyny pluł.

– Czas leci – frasował się sołtys. – Sezon blisko... Lada miesiąc, lada dzień wczasowicze zjadą, a tu?...

Za oknem zaryczała krowa... Usłyszeliśmy odgłosy potężnych razów, stękanie zwierzęcia i przekleństwa Zakały.

– Trudno, niech żyje, jak żył, nie będziemy go gwałcić – zadecydowałem. – Z czasem sam przejrzy na oczy, doszlusuje. A póki co, będzie nam za relikt ponurej przeszłości.

– O, to to! – pochwalił sołtys. – Dla kontrastu się przyda...

Tydzień za tygodniem mijał, dzień po dniu odchodził, aż nastąpiła ta chwila wielka, od jesieni wyglądana: zagrały głośniki na przystani, pogodne melodie słały się po kotlince nadrzecznej, ponad piaskami, wodą, łąką, wędrowały do wioski i między drzewa, ptactwo w lesie zamilkło, zdziwione. Staliśmy na moście i patrząc w miejsce, gdzie ruda wstęga żwirówki wysuwa się z puszczy, oczekiwaliśmy wymarzonego warkotu.

Podnieceni byliśmy. O sołtysie rzec można, że był zdenerwowany: chodził tam i z powrotem, parasolkę miał w dłoniach, czoło ocierał z potu. Z tremą walczył: miał wygłosić przemówienie, tekst powtarzał.

Droga, wybiegłszy z lasu, pięknym łukiem prowadziła do mostu. Betonowy, z lekką kolorową balustradą, dodawał uroku wsi i rzece, był znakomitą uwerturą dla wczasowiska.

Ośrodek prezentował się pięknie. Centralnym obiektem był piętrowy pawilon ze szkła i betonu; na dole mieściła się jadłodajnia, czytelnia, sala gier i klub z telewizorem. Na piętrze – pokoje gościnne. Pomachałem ręką do Malwiny – stała na werandzie, spoglądając, jak wszyscy, na szosę. Też kiwnęła dłonią, uśmiechnęła się. Piękna, młoda, ubrana z modną prostotą: bosa, w cienkiej letniej sukience, prawdopodobnie bez stanika... Ech, nie zmarniało ziarno, które jesienią zasiałem w ten chłonny umysł.

Spod hotelu rozbiegały się od kwiatonu promieniście ścieżki i dróżki wysypane ceglastym szutrem, ozdobione ławeczkami. Nad wodą niebieściła się tzw. muszla z kręgiem tanecznym, przechodząca w molo. Molo kończyło się przy garażu ze sprzętem wypoczynkowym, na wodzie kołysały się już różnobarwne kajaki i rowery pływające. Ośrodek okalało ogrodzenie z siatki na betonowych słupkach. Całość harmonizowała z puszczańskim otoczeniem – zarówno dla budynków, jak i detali plastyk zaprojektował barwy nawiązujące do naturalnego tła.

Z magnetofonów płynęły wakacyjne melodie...

Spojrzawszy w prawo, w kierunku wsi, widziało się bielone ściany domostw i szare eternitowe dachy. Za nowymi sztachetami płonęły w ogródkach słoneczniki, malwy, łubiny. Stare drzewa o pysznych koronach kłębiły się zielono nad domami, bociany przeciągały się, rozwierały skrzydliska, klekotały... I wcale nie raziły słupy elektryczne – stały dyskretnym rządkiem, a druty na tle nieba rysowały się jak pięciolinia z wróbelkami-nutkami. Nowoczesność, technika nie były tu intruzami, współżyły z naturą w rozsądnej symbiozie.

Chata Zakały wcale nie raziła. Wprost przeciwnie: na zasadzie kontrastu podkreślała estetykę innych domostw, a sama zyskiwała pozór muzeum, skansenu.

Oczekiwaliśmy gości, stojąc między mostem a ośrodkiem, pod aluminiową kompozycją o strzelistych kształtach, upamiętniającą lądowanie człowieka na Księżycu. Ojciec, niezrównany Maciej Grzyb, był i autorem, i wykonawcą tego dzieła sztuki.

Szykownie wyglądał. W szarym garniturze, słomkowym kapeluszu – mógłby śmiało się pokazać w każdej metropolii, w każdym towarzystwie. Wyszlachetniał nie do poznania: chropowata ongiś, poradlona zmarszczkami twarz zaokrągliła się, wyładniała, nie różniła się niczym od twarzy urzędników powiatowych i wojewódzkich, widać było, że policzki są golone i kremowane przynajmniej raz dziennie. Jeszcze większą odnowę przeżyły jego ręce, o, niczym nie przypominały tamtych topornych łapsk z gruźlastymi knykciami, kopyciejącymi paznokciami. Wyzwolone z kajdan pracy fizycznej, spoufalone z ciepłą wodą, mydłem, gliceryną, przemieniły się w miękkie jedwabiste dłonie o wydłużonych palcach i wąskich paznokciach, w ręce człowieka myślącego.

W jednej z tych rąk trzymał Grzyb periodyk.

W drugiej – aparat fotograficzny.

Grzybowa z kobietami stała... Była w gustownej bluzce, perkalowej spódnicy, lekkich sandałach, podstawiała słońcu twarz ozdobioną ciemnymi okularami. W ostatnim czasie ciało jej, dzięki racjonalnemu odżywianiu się i unormowanej pracy, odzyskało jędrność i zdrowie: twarz zakwitła rumieńcami, policzki, ramiona, piersi wypełniły się tkanką łączną, z łydek znikły żylaki. Rozmawiała Grzybowa z sołtysiną – też elegancką, odmłodzoną... Przegub okręciła sołtysina smyczą – na jej końcu wałkonił się w trawie Burek... Ale któż by w tym pudelku rozpoznał dawnego Jędrzejowego Burka! Wykąpany, podstrzyżony, niespodziewanie nabrał kundel cech rasowych, poza tym – karmiony budyniem i szarlotkami – zmienił charakter: nie gryzł, nie warczał, przymilał się do swoich i obcych, lizał wszelką zwierzynę, nawet kaczki i kocięta...

Zresztą wszyscy – mężczyźni, kobiety, młodzież, dzieci – prezentowali się chędogo, nowocześnie, modnie...

Minuty mijały, podniecenie narastało. Malwina na balkonie czyściła pilniczkiem paznokcie, spoglądając w dół.

Aż doleciał warkot odległy...

Gromada się zakołysała.

– Jadą! Jadą! – zawołano.

– O, autokar!

– Jaki śliczny...

Tak, spośród drzew wychynął autokar jak kolorowe cacko, czerwone chorągiewki furkotały na przodzie. Niespiesznie, uroczyście nadjeżdżał – zza szyby uśmiechał się kierowca, za nim tłoczyli się rozentuzjazmowani goście.

Autobus stanął metr przed sołtysem, rozwarły się drzwi...

Wychodzili głośno, rozradowani, pośpiewując, śmiejąc się – panie w letnich wydekoltowanych sukienkach, panowie w jasnych ubraniach, kilkoro młodzieńców w obcisłych spodniach, długonogie panieneczki w króciutkich spódniczkach. Wszyscy z neseserkami, walizkami, plecakami... W rozgwarze najczęściej powtarzały się słowa „puszcza" i „cudownie".

Gdy ostatni pasażer zszedł ze stopnia, sołtys uchylił kapelusza. – Witamy serdecznie w Ośrodku Wczasów Letnich w Wydmuchowie – rzekł uprzejmie, ale z godnością. – Andrzej Grzyb jestem, sołtys i kierownik Ośrodka. W imieniu wszystkich pracowników oraz mieszkańców życzę państwu zdrowego i pożytecznego wypoczynku. Rozgośćcie się, proszę, i czujcie się jak u siebie...

Ojciec przyklęknął, cyknął pamiątkowe zdjęcie – jedno, drugie. Oklaski zahuczały, brawami nagrodzili przybysze zgrabne przemówienie. I czym prędzej rozbiegli się po moście podziwiać okolicę.

– Ach, puszcza! – rozległo się. – Prawdziwa puszcza!

– Jaki tu spokój... jaka cisza...

– Ślicznie, cudownie!

– Co za kraina...

– Te łąki! Ile zieleni, ile kwiatów!

– To już nie łąki, ale kobierce!

– A powietrze! Czujecie? Sam tlen i ozon!

– Rzeczywiście! Tlen i ozon!

– Ach, rzeka, spójrzcie na te zakola!

– Jak błękitna wstążeczka!

– O, ryba!

– Gdzie?

– A tam, przy kamieniu!

– Rzeczywiście! Ryba!

– Ryba!

– Ludzie, ryba!

Ktoś klepnął mnie w ramię – odwróciłem się: stał przede mną rosły mężczyzna w jasnym garniturze. Z brzuszkiem. Łysawy, w ciemnych okularach. W lewej ręce trzymał skórzany neseser. Uśmiechał się.

– Cześć, cześć, Marian, byku krasy! – witał kordialnie, ściskając mi rękę dłonią wielką, miękką. – Nie poznajesz? – Zdjął okulary. – No co ci? Stach jestem... Wyprostek!

– Stach? – wyrwało mi się z niedowierzaniem.

– Stach? Tak, Stach! – zawołali moi wydmuszanie, wielce uradowani. – No patrzcie, Stach przyjechał!

Teraz on przyjrzał się im niepewnie.

– A panowie... kto?

– Jak to, nie poznajesz? – zdziwili się.

Ojciec podał mu rękę.

– Maciej Grzyb jestem...

– Łukasz Lipka – przedstawił się Lipka.

– Andrzej Grzyb – przypomniał się sołtys. – Ho, ho, zważniałeś, Staszku!

– No, mów, jak ci się w mieście powodzi – zagadnął Lipka.

– O to nie trzeba pytać. To widać – stwierdził sołtys i z uznaniem poklepał Stacha po dostatnim brzuszku. A ojciec ze zrozumieniem pokiwał głową.

– Odpocząć sobie przyjechałeś od miastowego zgiełku?

– Od spalin i ciasnoty – dorzucił Lipka.

– Od wind i autobusów... – powiedziałem ze zrozumieniem.

– A tak, kochani, odpocząć. Niby mi się w mieście powiodło, nie narzekam – wyznał Staszek szczerze i ręce rozłożył, żebyśmy lepiej widzieli i garnitur, i krawat, i neseser. – Ale prawdę mówiąc, nie macie mi czego zazdrościć. Ech, jak chciałbym być na waszym miejscu...

– O!!! – zdziwiliśmy się razem.

– Przemyślałem wszystko na nowo i doszedłem do wniosku, że tylko na wsi można żyć pełnym, nieokaleczonym życiem – kontynuował wywód. – Któż lepiej niż wy, kochani moi, wie, co to kwiat, owoc, nasienie! Wy na co dzień widzicie narodziny roślin i zwierząt, ich dojrzewanie, umieranie. I dlatego jesteście tacy szlachetni.

– Poniekąd ma rację – rzekł sołtys.

– Przecież, mówiąc bez ogródek, jesteście wcielonymi dziećmi natury! Synami i córkami słońca! Czy nie z rytmu czterech pór roku wynika cykl waszych prac polowych? Czy nie słońce podpowiada, ba, powiem więcej: dyktuje wam całodzienny rozkład zajęć? Przeżywacie życie wpatrzeni w słońce jak w panią matkę. Och, szczęśliwi! Przecież wy od narodzin do śmierci dotykacie stopami niezabetonowanej ziemi – i to stopami bosymi! I nie dziwię się wam, że za swoje pole, za byle zagon oddalibyście życie. Oto za chwilę zdejmiecie te swoje przywitalne garnitury i ruszycie sobie w pole... Ech, szczęśliwi, szczęśliwi...

Sołtys cmoknął, głową pokręcił, skrzywił się.

– Widzi pan, panie Staszku... – zaczął delikatnie, żeby przybysza nie urazić. – Dużo się zmieniło, gdy pana nie było... Ja na przykład w ogóle zrezygnowałem z prac polowych.

– Co? Nie orze pan? Nie sieje? Nie kosi? Nie młóci?

– Cóż, uprawa ziemi wymaga fizycznego wysiłku, panie Staszku. Pług, kosa, łopata, widły... Nawet maszyny nie załatwią wszystkiego... A ja, jak pan widzi, nie za bardzo już jestem... – Rozłożył sołtys ręce.

– Siły nie te. Nogi słabe... I zadyszka, kto wie, czy nie astma... Płaskostopie do tego... I migrena przy schylaniu się... Niestety, innej pracy muszę szukać niż fizyczna...

– Tradycyjne rolnictwo już się kończy – poparł go ojciec. – Produkcja wyspecjalizowana się liczy, panie Staszku. Lipka na przykład zajął się warzywami...

– Warzywa, ale, oczywiście, nie te banalne typu kapusta, ogórki czy cebula – zastrzegł się od razu Lipka, bo nie chciał, aby Stach wziął go za zwykłego badylarza. – Szlachetne mnie interesują. Brukselka. Kalarepa, panie Staszku. Jarmuż. Szpinak. Szparagi. Planuję przyprawy: selery, pietruszka, koper, anyż, czarnuszka, kminek...

– Twój ojciec na przykład wziął się za hodowlę bydła – kontynuował ojciec prezentację Wydmuchowa. – O, widzisz traktor tam pod lasem? Koło Horpyny? To właśnie Tomasz kosi lucernę...

– Ojciec?! – jęknął Stach.

– Ho, ho, nie pozna go pan, panie Staszku! – rzekł z uznaniem sołtys. – To już nie ten człowiek...

Stach stracił rezon. Zamiast chwalić, cieszyć się, oklapł.

– A wy? – spytał cicho. – Pan? Grzyb?

– Specjalizacja, panie Staszku... – podsumował sołtys. – Kto ma dużo ziemi, wziął się za rolnictwo wielkotowarowe. Małorolni – za uprawy intensywne. A my, bezrolni lub prawie bezrolni, nastawiliśmy się na usługi... Maciej na przykład elektrotechniką się para i nie narzeka na brak roboty... A teraz, w sezonie, dorobi aparatem fotograficznym, ech, ma człek smykałkę... Maciejowa kuchnię prowadzi. Malwina kieruje hotelem. Moja żona bufet trzyma. Ja kieruję całością...

Stach wysłuchał tego wszystkiego z opuszczoną głową.

– A tak tęskniłem za moimi Wydmuchami... – rzekł na koniec, raczej do siebie niż do nas. – Tak śniłem...

I kiwając głową, nie powiedziawszy ani przepraszam, ani do widzenia, minął nas jak ociemniały.

– Niech pan nie odchodzi, zaraz obiad, panie Staszku! – zawołał za nim sołtys, ale Stach nie zareagował. Oddalał się w stronę domu. Ja, ojciec, Lipka stanęliśmy na moście i oparłszy się o balustradę, kontemplowaliśmy widok na wczasowisko.

Pierwsi goście, zakwaterowani przez Malwinę, zeszli do stołówki. Widzieliśmy, jak zasiadają do stołów na werandzie, nalewają zupę, świadcząc sobie nawzajem rozliczne uprzejmości. Sypały się pierwsze dowcipy, rodziły się sympatie, znajomości.

Sołtys rozebrał się do kąpielówek i poszedł po motorówkę. Wyciągnął ją z garażu, zapalił silnik, uregulował obroty na najcichsze i założywszy białą czapeczkę o długim daszku, pływał tam i sam po rzece, z gwizdkiem w zębach, oczekując pierwszych amatorów kąpieli.

Kto obiad skonsumował, na plażę szedł: szli wczasowicze z leżakami, pledami, żartując sobie, swawoląc. Siadali, kładli się na piaszczystej pochyłości. Bez pruderii – w swobodnych pozycjach, mężczyźni kładli głowy kobietom na brzuchach, piersiach – i nawzajem. Śmiano się dużo. Najbardziej wygadani opowiadali jakieś kawały, prawdopodobnie nieprzyzwoite (ale czyż nie są na wczasach?), mniej wygadani – przyzwoite, a kto nie miał nic do powiedzenia, całował. Najwięcej jednak było takich, co ułożywszy w słońcu ciało pod najlepszym kątem, nieruchomieli na całe kwadranse, a jeśli poruszyli się, to tylko aby przekręcić się na plecy, okleić nos listkiem albo napić się z butelki.

– Ech, pięknie tu teraz – westchnął Lipka. – Jak na francuskich filmach...

Ojciec poklepał mnie po ramieniu.

– Muszę ci pogratulować – rzekł. – Dopiąłeś swego. To już nie Wydmuchowo, ale Sopot, Międzyzdroje!

– Nie, ojcze – zaoponowałem. – Wydmuchowo, ale Nowe Wydmuchowo!

Kilkoro wczasowiczów weszło już do wody, chlapali się, pluskali, czuwał nad nimi sołtys na swej motorówce: gdy tylko ktoś wypłynął za boje, na głębię z czerwoną tablicą „Kąpanie wzbronione", natychmiast donośnym gwizdem przywoływał ryzykanta w rejon strzeżony.

Z hotelu wyszło dwoje wczasowiczów. Boso byli. Mężczyzna w okularach, kobieta bez okularów. Do nas zmierzali.

– Dzień dobry – rzekł okularnik. – Panowie też tu na wczasach?

– Jeśli ciężką pracę ogrodnika nazywa pan wczasami, to owszem, jestem wczasowiczem – odrzekł Lipka.

– Szukamy tutejszych chłopów – oznajmiła kobieta. – Chcielibyśmy poznać miejscowe obyczaje.

– O pogodzie pogwarzyć, o urodzaju – wyjaśnił okularnik. Lipka zdziwił się.

– Oho, to pan i meteorolog, i agrotechnik? Nie zdążył okularnik zaprzeczyć ani potwierdzić, gdyż ojciec nieoczekiwanie zmienił temat.

– O! – zawołał wielce poruszony, przyglądając się kobiecie z zainteresowaniem. – Coś niezwykłego! Pani zapewne sama nie wie, jak bardzo z profilu przypomina pani słynne baby kamienne na Wyspie Wielkanocnej! Ciekaw jestem, czy zgodzi się pani z moją prywatną hipotezą, iż rzeźby te są pochodzenia lodowcowego?

– O czym... pan... – wybąkała kobieta, przestraszona.

– Maciej zajmuje się techniką. A prehistoria to jego hobby – wyjaśnił Lipka.

Grzyb, widząc wykształconych słuchaczy, rozgadał się.

– Ostatnio spać mi nie daje pewna teoria – wyznał. – Czy słyszeliście państwo? Oto grupa murzyńskich uczonych twierdzi, iż kolebką dzisiejszej kultury była Afryka. Słyszy pani? Afryka, ten czarny jak smoła, spalony słońcem kontynent. A naszą europejską cywilizację mają ci ekstremiści jedynie za odgałęzienie wielkiego drzewa afrykańskiego. Zresztą, ich zdaniem, gałąź to zdegenerowana i obumierająca... Co państwo na to?

Kobieta wzruszyła ramionami i odwróciwszy się od Macieja, spytała mnie, gdzie by tu napić się mleka prosto od krowy.

– Swojskiego chleba spróbować żeby – dorzucił okularnik.

Przyznam się, że trochę mnie rozśmieszyły ich przyziemne, prostackie zainteresowania.

– Ja myślałem, że o filmie porozmawiamy – zaznaczyłem z przyganą w głosie. – O malarstwie. Literaturze południowoamerykańskiej...

– Uciekajmy! - szepnęła kobieta swemu towarzyszowi. I rzeczywiście, wycofywać się zaczęli.

– Może innym razem... Przepraszamy... Do widzenia... – Bąkając coś tam pod nosem, oglądając się na nas z paniką w oczach, uchodzili do lasu.

– Dziwna para – stwierdziłem, zaskoczony ich manierami.

– Dziwna – potwierdził Lipka. – Mleko prosto od krowy jest, po pierwsze, brudne, po drugie, może zawierać zarazki chorobotwórcze.

Z hotelu wyszły Malwina i Grzybicha w białych pracowniczych uniformach. Malwina skinęła na nas ręką.

– Hej, co się tak prażycie w słońcu? – zawołała. – Chodźmy nad wodę!

– Idźcie – rzekł Lipka. – Ja zamówiłem międzymiastową...

Wypożyczyliśmy z przystani dwa rowery wodne: na jednym ojciec z matką zasiedli, ja z Malwiną na drugim, i wypłynęliśmy popatrzeć sobie na wioskę z dołu, z rzeki. Leniwie kręcąc pedałami, płynęliśmy z prądem pod gorące lipcowe słońce. Z prawej pyszniła się wieś na wysokim brzegu.

– Uff... gorąco – westchnęła Malwina. Popiła napoju orzeźwiającego i przymknąwszy powieki, zastygła leniwie w leżaku.

Opalona była. Piękna. Smukłe uda, płaski brzuch, strome piersi... Mocne ramiona... Śniada twarz, przepyszne włosy...

Za nami terkotał rower z Grzybami. Obejrzałem się: matka kręciła leniwie pedałami, ojciec, z gotowym aparatem, obserwował brzeg i co tylko zobaczył jakiś motyw, fotografował.

Ale gdy dopływaliśmy do końca wsi, z Wyprostkowej chaty wypadł Stach ze swoim neseserkiem. Wielkimi susami, ryjąc obcasami brzeg, zleciał nad wodę.

Ciekaw, co się stało, zawróciłem i, pedałując pod prąd, aby nas nie znosiło, czekałem, co będzie.

Stach sapał, widać forsowny bieg niemało sił go kosztował. A może widok Malwiny tak go zaskoczył?

– Ty, Malwka? – wysapał. – Ty z nim? I w takim stroju?

A była przecież w normalnym kostiumie plażowym, dwuczęściowym, tyle że krojem i kolorem podkreślającym jej prawdziwą budowę i zaawansowaną opaleniznę.

Malwina wyprostowała się w leżaku.

– Stach? – zawołała, też zaskoczona. – Czyżby Stach?... Tak, Stach... ale jakże zmieniony!

– Zmieniony?

– Taki szeroki byłeś w barach, wąski w pasie... Boże, co się z ciebie zrobiło, Janosiku!

– Co?! – Obraził się. – Ty najpierw sobie się przyjrzyj, ty... kokoto! Popatrz na tych frantów! – wskazał ręką Grzyba i Grzybową na hydrorowerze, którzy zatrzymali się przy nas i tak samo pedałowali, aby prąd nie znosił.

Stach pochylił się, ucapił garścią piachu, sypnął we mnie.

– To przez ciebie to wszystko, ty naprawiaczu świata! Przez ciebie, draniu!

– Tylko nie draniu! – zawołałem obrażony. – Licz się, Staszek, ze słowami!

Zawarczała motorówka – sołtys nadpływał, usłyszawszy krzyki. Stach uszy zatkał, nogami zatupał.

– Gdzież oni, ci prości, szczęśliwi ludzie! – załkał. – Co z nich zrobiłeś? Co zrobiłeś z tą rajską okolicą! Z polami! Płacząca brzoza pod kurhanem – ścięta!

– Orać przeszkadzała! – krzyknął za mnie sołtys.

– Maliny przy Bartoszowej drodze, bzy, czeremchy – wyplenione. Krzyża, Jakubowego krzyża na rozstajach – nie ma!

– Drogę trzeba było poszerzyć...

– Kurhan splantowany! Rzeka zmeliorowana!

– Nowoczesna gospodarka, panie Staszku, nie toleruje takich senty...

– Czy wy nie widzicie, co się stało ze świętym żytem? – zamachał Stach rękami, wydawało się, że zaraz ciśnie w nas swoim neseserkiem. – Nie słyszycie, o czym szumią kłosy? O wydajności z hektara szumią! O skrobi! O kaloriach!

– Deficyt paszowy zmusza nas, panie Staszku, do wielu... – próbował perswadować sołtys, lecz Stach się zapienił.

– A krowy na pastwiskach! – darł się. – Boże! Czy snują się jak kiedyś po wygonie? Czy porykują do nieba? Nie! One żrą, obżerają się na wyścigi! Dalibóg, one ścigają się, która więcej mleka uciuła! Która tłustsze! Boże, nawet krowy, nawet one już gonią za sukcesem, za modą!

Wyprostek nadbiegał, w kombinezonie był. Spoconą ręką otarł czoło.

– Stachu! – rzekł sapiąc. – Wracaj! Lucernę trzeba, Stachu...

– Lucernę! – przerwał mu Stach i podniósł na ojca neser. – A na co ojcu ta lucerna? Te maszyny! Te chlewnie, obory!

– Nie znasz się, nie gadaj! – ofuknął go stary.

– Kiedyś, jak jeszcze byłeś ciemnym chłopem, miałeś czas i poleżeć sobie w chłodku pod jabłonią, i na przyzbie posiedzieć, i różaniec zmówić... A teraz? Harujesz jak wół tymi maszynami, latasz jak oparzony, zamiast, jak kiedyś, kosą sobie, pomaleńku.

– Kosą za wolno – rzekł Wyprostek.

– A dokąd ci tak śpieszno? Do zawału? – jęknął Stach.

– Kiedy ja już nie chcę być ciemny – rzekł Wyprostek.

– Miasto czeka na jego chleb, a nie na różaniec i przysłowia – zauważył trzeźwo sołtys. Stacha poniosło.

– Miasto?! – wrzasnął. – Takie same darmozjady jak i wy!

– Nie jesteśmy darmozjadami – odparł sołtys godnie. – Wzięliśmy na swoje barki usługi...

– Usługi?! Ech, wy, cwaniacy! Wydrwigrosze! Nie chcę mieć nic wspólnego ni z wami, ni z tą spustoszoną okolicą! Wyjeżdżam!

– Dokąd? – spytałem krótko.

Stach nie odpowiedział. Zakręcił się w miejscu i splunąwszy w naszą stronę, ruszył polem na przełaj do lasu.

– Dokąd? – powtórzył moje pytanie sołtys.

– Do afrykańskiej puszczy? – zawołał Maciej. – Kiedy i tam już koleje i rafinerie...

– Wracaj! – krzyknął Wyprostek, ale nadaremnie. Wielkimi krokami, przygarbiony, z neseserkiem w prawicy, oddalał się Stach w stronę puszczy. Ludoman? Naturszczyk? Hypis? Co z nim się stało?

– Może mu się w mieście nie wiedzie? – wyraził przypuszczenie ojciec.

– A może przyjechał pokazać się, pomądrzyć – a tu my nie gorsi? – zastanawiał się sołtys, jak i my zdziwiony zachowaniem się Tomaszowego syna. – No, muszę wracać, plaża niestrzeżona – rzekł i uruchomiwszy silnik, odpłynął z warkotem.

I my ruszyliśmy w stronę ośrodka. Grzyb nastawił przesłonę i sfotografował nas – mnie i Malwinę – na tle mostu.

– A może mu o Malwinę poszło? – zastanawiała się głośno matka.

– Ech, Marian, Marian – westchnęła. – Taka dziewczyna! A ty...

– Do żeniaczki ty nie namawiaj! – ofuknął ją ojciec.

– Kto tu mówi o żeniaczce... – skrzywiła się matka. – Oni nawet jeszcze ze sobą nie spali.

– Nie? – zdumiał się ojciec. – Naprawdę, Malwino? Jeszcześ z nim nie spała?

– Nie układało się jakoś – wyjaśniła.

– A co? Kompleksy? Zahamowania? – Ojciec przyjrzał się mi badawczo.

– Weźcie pokój w hotelu i już! – doradziła matka. – Szkoda ciał, póki młode.

– A co to, domu nie mają? – obruszył się ojciec. – W domu przecież mogą.

Malwina zwróciła ku mnie swoje oczy przepaściste, błękitne.

– I co ty na to, Marian? – spytała swoimi zmysłowymi jak zwykle ustami. – Pracę kończę o dwudziestej. Przyjść?

Ułożyłem książki, poprawiłem łóżko, ogoliłem się starannie i chodząc po pokoju od drzwi do stołu, od stołu do drzwi, czekałem.

Zegar cykał, przybliżał drobniutkimi krokami wymarzoną chwilę...

Słodycz oczekiwania na nasze szczęście mąciło mi jednak wahanie, czy aby mam już prawo do tej, jakże osobistej, przyjemności. Owszem, udało mi się – mówiąc słowami Mędrca – wyrwać wydmuszan z „idiotyzmu życia wiejskiego", uczłowieczyć. Ale ileż jeszcze takich starych Wydmuchowów czernieje na mapie kraju... A na mapie świata?... Czy mogę oddawać się partykularnemu samozadowoleniu, gdy w Afryce, Azji, obydwu Amerykach miliony egzystują niczym ongiś wydmuszanie? A nawet idiotyczniej...

Wskazówka minęła dziewiętnastą, dzień się miał ku wieczorowi – ja wciąż chodziłem niespokojny.

Odmówić? Przeprosić i powiedzieć, że może kiedyś, innym razem – gdy już na kuli ziemskiej nie będzie ani jednej istoty cierpiącej?

Czy nastąpi to jeszcze za naszego życia?

A jeśli – to czy nie będziemy za starzy?

Co robić?

Odmówię – ale czy mam prawo w imię dobra milionów zawieść jednego człowieka? I to tego najbliższego? Czy zrozumie Malwina, dlaczego się wycofuję?

Trudna kwestia...

A poza tym – może właśnie dla dobra milionów mam prawo do chwili szczęścia? Będę szczęśliwszy – będę i mocniejszy, wytrwalszy. Bo cóż ludziom po mnie zgorzkniałym, okaleczonym?

Tak, mam nie tylko prawo, ale i obowiązek przeżyć trochę szczęścia z drogą mi kobietą! Do takiego wniosku, wierzę, że słusznego, doszedłszy, sięgnąłem po podręcznik z zakresu życia płciowego. Powtarzając najistotniejsze rozdziały, czekałem na tapczanie, półleżąc.

Przyszła zaraz po dwudziestej, prosto z recepcji. Rozejrzała się po moim niebogatym, ale schludnym pokoiku. Zapaliła nocną lampkę, zasłoniła okno. Była znużona wielogodzinnym dniem pracy, dlatego też od razu odpięła tresę i zdjąwszy garderobę – zresztą nie za obfitą o tej porze roku – położyła się na tapczanie.

Z nadworza wdzierało się przez firankę kwilenie ptaków, świergoty, trele.

– Słowiki... – uśmiechnęła się nago. – Jeśli cię irytują, mogę włączyć radio...

Zajęła się skalą i pokrętłem pioniera, ja – czytając – pozbyłem się niepotrzebnego ubrania.

Pukanie się rozległo – to matka zajrzała spytać, czy nie trzeba nam czego.

– Może wina, dzieci? – zaproponowała opiekuńczo. – Przyjemniej się współżyje, jak jest pod ręką dobry trunek.

– Nie, mamo, nie warto – zaoponowałem znad podręcznika. – Alkohol stępia wrażliwość.

Matka przysiadła się na tapczan.

– Może i racja – westchnęła. – Może i racja... A co słychać? – spytała Malwinę, zajętą radiem.

– Nic specjalnego... – odpowiedziała. – Nowa fala w filmie włoskim.

– O, to już trzecia tego roku.

– Wystrzelono kolejnego sputnika...

– No to już sobie pójdę – na to matka i wstała. – Dobrej nocy wam życzę, dzieci. Harmonijnej – powiedziała, wychodząc.

Malwina podziękowała. A ja, odłożywszy książkę, przytuliłem się do niej, szukając rękoma miejsc szczególnie atrakcyjnych i erogennych.

– Co robisz, szalony! – zawołała.

– Zaczynam wstępną...

Odsunęła się nieco.

– Może porozmawiajmy? – zaproponowała. – Wiesz, Marian... Ostatnio coraz częściej przyłapuję się na tym, że myślenie o stosunku daje mi więcej przyjemności niż sam stosunek.

– O! – zmartwiłem się. – To nienormalne!

– Normalne... Myślę, że wzrost świadomości nie może do tego nie doprowadzić.

– A często współżyjesz?

– Coraz rzadziej. Prawdę mówiąc, nie ma z kim. Z prymitywnymi? Kiedy tacy bez horyzontów w ogóle mnie nie podniecają. I dlatego tak cieszę się, że jestem z tobą. A ty?

– Jestem szczęśliwy, Malwino – wyznałem.

Bo istotnie czułem się szczęśliwy. Tyle mi się udało! Wszystko, co zaplanowałem sobie ongiś, do czego dążyłem, zostało zrealizowane. Czy nie zasłużyłem przeto na chwilę szczęścia?

Malwina pogłaskała mnie po ręce.

– Tyle ci zawdzięczam, Marian... – szepnęła. – Gdyby nie ty, żyłabym po dawnemu. Jak ćma. Bez najmniejszej refleksji nad sobą, nad światem...

– On... – wskazałem portret Mędrca nad wezgłowiem – on nazywał takich „workami kartofli"...

– A teraz – myślę. Czyli żyję. Cogito, ergo sum... Och, Marian... Dobrze mi...

– Wprowadzić?

– Czy ja wiem... Tak przyjemnie się rozmawia.

Leżeliśmy twarzami do siebie, oczy w oczy, rozumiejąc naszą rolę i miejsce – i we wsi, i w Kosmosie, i na tapczanie. Położyłem rękę na jej biodrze, zdemitologizowanym, a przecież ponętnym, jej piersi oddychały przede mną żywo, ale bez egzaltacji. Patrzyliśmy sobie w oczy rozumnie: bez naciąganej wesołości i niepotrzebnego smutku.

– „Cały ten widzialny wszechświat to nieskończona kula, której środek wszędzie, powierzchnia nigdzie" – szepnęła.

– Kto to?

– Pascal. Blaise Pascal.

– I co ty w nim widzisz, w tym mistyku? – zdziwiłem się.

– O nie, mój drogi! – obruszyła się. – To od niego powędrowałam w topologię, probabilistykę, teorię przyczynowości... Pasjonuje mnie rola przypadku w tworzeniu świata, w powstawaniu nowych gatunków... Ach, fascynujący jest spór determinizmu z indeterminizmem...

– Możliwe – powiedziałem i przytuliłem się, odczuwałem bowiem ochotę nie tyle na wymianę poglądów, co na przeżycie najintensywniejszej formy więzi międzyosobniczej. – Determinizm determinizmem, ale czy nie moglibyśmy...

Malwina usiadła.

– Znasz zasadę Heisenberga? – spytała, wielce podniecona.

– Nie – przyznałem się.

– O, powinieneś! – skarciła. – Ten wielki uczony sformułował tak zwaną zasadę nieokreśloności, inaczej nieoznaczoności, niepewności... Sięgnęła po kartkę, ołówek.

– Według Heisenberga – kontynuowała – nie można, Marian, określić równocześnie obydwu podstawowych danych układu. Zobacz... – Narysowała schematycznie elektron. – Jeśli elektron przedstawimy tak... A tu mamy instrument... Jeśli dokładność tego instrumentu jest rzędu... to zobacz, że wtedy...

Położyłem się na wznak i z rosnącym podziwem słuchałem wywodu. Wiedziałem, że Malwina rozwinęła się bardzo. Ale że aż tak – nie przypuszczałem. Brzask dopiero zmusił ją do przerwania wykładu. Poszła do domu odpocząć przed pracą, ale obiecała przyjść wieczorem dokończyć o Heisenbergu.

Obudziło mnie gwałtowne stukanie. Odemknąłem oczy – pod oknem stali ojciec, matka, sołtys, bili pięściami w ramę.

– Nieszczęście, wstawaj, Maniuś! – wołali panicznie. – Katastrofa!

Usiadłem.

– Co za katastrofa?

– Wczasowicze nas porzucili!

Wczasowicze? Porzucili? Jak to – porzucili? Przecierając oczy, usiłowałem coś zrozumieć.

– Wszyscy u Zakały siedzą! Wstawajcie, ratuj! – domagali się.

Skoczyłem do okna, wyjrzałem.

Rzeczywiście: podwórze za płotem huczało od ludzi. A plaża? Pusta!

– Powariowali? – pytała matka siebie, nas, świata. – Trującego co zjedli?

– Może to udar? – zastanawiał się ojciec. – Słońce wczoraj było ostre...

Widok przypominał sceny z filmów o egzotycznych barbarzyńcach. Półdzikie wrzaski, gwizdy, jodłowanie, tokowanie, bełkoty gwałciły ciszę śródleśną, mrowie ludzkie roiło się, miotało między budynkami Zakały! Kilkoro półnagich dzikusów wdarło się na gruszę, huśtali się na gałęziach, udając małpiatki. Jeden golec siedział na stodole: łopotał rękoma jak skrzydłami i piał rozgłośnie. Kilkoro ujeżdżało szkapę, inni drażnili się z baranem – łechtali go, szczypali i uciekali, pokwikując, przed rogami! Dwóch rozkrwawionych mężczyzn mocowało się na ziemi. Kobiety podjudzały ich, klepiąc się – podniecone – w kolana, ktoś chodził na rękach, jakiś młodzian na czworakach obszczekiwał psa, dwóch nagich cymbałów pod wierzbą porównywało genitalia, inni cwałowali z gałęziami, jeszcze inni taplali się w rzece i goło, i w ubraniach.

– Może spili się? – wyraził przypuszczenie sołtys.

Za drogą, nieopodal rzeki, wykwitał spomiędzy tłumu pióropusz ognia: Zakalicha smażyła placki! Płyta kuchenna leżała na dwóch kamieniach, między nimi buzowały płomienie, Pietrek podrzucał chrust do ognia, dwoje Zakaląt obierało kartofle, dwoje tarło je ręcznie nad korytkiem – Zakalicha zaś, babsko wielkie, spocone, przewracała placki na dwóch patelniach, dosmażała i rzucała w nadstawione ręce.

– Na zdrowie! Zryjta! – zachęcała.

– I la mnie, gosposiu! – darli się, przepychali. – La mnie! Tera moja kolejka.

– I la mnie! La mnie!

– I jo kce!

– I jo!

– Oj, nie bądźta, ludziska, take nachalne! – strofowała, inkasując grosiwo pod zapaskę. – Po porządku! Nu mas! Mata! Zryjta, zryjta z Bogiem!

– Zryjta! – powtarzali z zachwytem. – Jak wieprze.

– Jak konie!

– Zryjta!

– A pieniądze, Błażejowo, dzie pójdo? Do pończochi, nie? Abo do siennika, hehehe, o, już my znamy wase chłopske pazerność!

– A co! – odparła baba. – Od ziarka do ziarka i jałowice kupi sie!

A jak dobrze pódzie, to i na stodołe bedzie, przychodźta, ludkowie, co dzień przychodźta!

– Na stodołe, mówicie? Na drewniane?

– Nie, murowane.

– Oj, gospodyni, po co wam murowana? Drzewianną stawcie!

– Yy, arfiteftura zyzwolenia na drzywianne nie dajo – westchnęła baba, wysypując kolejną porcję placków, grosiwo znowu inkasując.

– Pewno, co drzywianna lepsa, ale trudno – jak nie mozno, to nie mozno...

– Ja wam w powiecie załatwie! – zapalił się mężczyzna w okularach, dwa cebrzyki przytaszczył na koromyśle z rzeki. – Załatwie, mam znajomości!

– Załatwicie, panie? A niech wam Pambóg wynagrodzi, dobry człeku! – ucieszyła się kobieta. – O, mas tu placka na Bógzapłać! He, woda? A na co woda?

– Do płukania kubków – rzekł okularnik. – Czysta, bieżąca!

– A kto by tam płukał! – machnęła ręką Zakalicha pośród dymu. – A co to, parsywe tu som cy co?

– No jasne! – poparli ją chórem inni. – Same swojaki tu som, zdrowe, nie scepione! Nie myć kubków!

Mlekiem częstował Zakała: cztery kroki od paleniska doił krowę do skopka – wczasowicze siedzieli wokół niego na trawie jak Buszmeni. Podtykali krowie zielsko pod pysk, drapali między rogami, dziwowali się, że wymię ma krowa między nogami tylnymi, a nie przednimi, ciągali za ogon, podziwiali wystające żebra.

– Ho ho, to jest krowa! – chwalili. – Nareszcie prawdziwa wiejska krowa!

– Przysłowiowo zamorzona! Po chłopsku!

– Co? Ze chuda? – gadał Zakała, ciągając krowinę za cycki. – Yy, niewazne, chuda ona cy kłusta – wazne, zeby mleko miała... O! – Umoczył łapę w skopku i wyciągnął im pod nosy, aby polizali. – Widzita, jakie kłuste? Sama śmietana! Krowa im chudsa, tym kłustse mleko ma! Uj, sprawny bydlacek... Odstąp sie! – warknął i łupnął krowinę zamaszyście w żebra.

– Tak, tak – potakiwali wczasowicze i wczasowiczki, zajadając placki z ręki, popijając z jednego kubka. – Surowe tu życie!

– Byle nie umrzeć! Byle do przednówka!

– Tu nie salony!

– A jak w stodole? – zainteresował się młody w białych portkach.
– Siano jest?

– Głowa, znacy sie piersy pokos, juz w stodole – odrzekł Zakała,
ogryzając paznokieć u nogi i popluwając. – I koniucyna je!

– To można by tam zanocować?

– A cemu nie... Aby pare grosy...

– Zapłacimy! Słyszysz, Magda? Hej, chodź, przeniesiemy rzeczy, na
sianie dziś będziemy spali! Na sianku!

– A nas przyjmiecie? – dopraszali się drudzy. – Przyjmiecie? Ach,
siano! Na sianie spanie!

– Dość mamy tego luksusu!

– Fasolek bretońskich!

– Dżezu w puszczy!

– Plaży strzeżonej!

– Tej Riwiery zafajdanej!

Kilkoro golców pobiegło do hotelu i zaraz ukazali się z walizkami
w rękach... biegli do Zakałowej stodoły! Sołtys szarpnął kołek u płotu.

– Nie, tego nie zniosę! – jęknął. – Wpadnę z pałą i rozgonię tę cze-
redę! Uch, ten Zakała! Uch, czemu go nie podpaliliśmy!

– Przegraliśmy... – rozszlochała się matka, łzy kapały na biały uni-
form gastronomiczny. – Tyle roboty, tyle zachodu, i wszystko na nic.
Oj, synku, synku... Może lepiej było wcale z tym postępem nie za-
czynać...

– No, no, Janka, nie przesadzaj – upomniał ją ojciec rozsądnie.
– Żyć, jak żyliśmy? Kapuchę żreć? Kartoflami postnymi się opychać?

Patrzyłem bez słowa. Nie, tego nie mogłem pojąć. Dlaczego ci kul-
turalni ludzie...

Malwina wyszła z hotelu, dołączyła do nas. Nie wyglądała na zroz-
paczoną.

– I co się uśmiechasz, jakbyś wszystkie rozumy pozjadała! – sarknął
sołtys. – Jak wiesz, co robić, mów!

– Przeczekać – odparła. – Za parę dni znudzi się im i wrócą do
ośrodka...

– Za parę dni! – rozzłościł się. – Kiedy każdy dzień kosztuje! A ty
– syknął do mnie – mów coś! To ty byłeś za skansenem u Zakały.
A zresztą twój to pomysł, to całe letnisko! No i masz, wykierowałeś nas,
bratku...

– Czy widzisz jakieś wyjście? – spytał mnie ojciec rzeczowo. – Bo coś trzeba robić...

– Ich coś opętało... – zawyrokowałem. – Obce wpływy... Trzeba pójść, przemówić do rozumu... Uświadomić...

– Kogo uświadamiać! – żachnął się sołtys. – Tego decybela? – Wskazał golca na stodole: stał na jednej nodze, ręce rozpostarł jak bociek i klekotał. – Co, tego zboczeńca chcesz przekonywać? – wskazał letnika obszczekującego budę. – Tych degeneratów wychowywać? Gdybyż to byli prości ludzie...

Krzyczał na mnie, a właściwie żalił się rozpaczliwie, tyle bólu, tyle zawiedzionych nadziei pobrzmiewało w jego głosie. Cofnąłem się od okna, żeby nie widzieć pobojowiska i klęski naszej. Obułem się, ubrałem. Wiedziałem, że muszę pójść do tych pomyleńców, przemówić. Pod oknem zbierali się inni – inni Grzybowie, Lipka, sołtysina... Liczyli na mnie, wierzyli, że kto jak kto, ale ja, magister, potrafię złu zaradzić.

Odprowadzany ich serdecznym wzrokiem, ruszyłem do chorego obozu. Co uczynię? Co powiem? Jeszcze nie wiedziałem, nogi same niosły mnie w kierunku paleniska, tam było najtłoczniej. Nie zwracano na mnie uwagi – dopóki nie wlazłem na kłodę i nie zawołałem:

– Ludziee! Braciaa!

Ten i ów, kto bliżej był, obejrzał się.

– Ludzieeee! – zawołałem raz jeszcze, usiłując przekrzyczeć barbarzyńskie odgłosy. – Braciaa! Obywateleee!

Czekałem z uniesionymi rękami. Musiało być w moim krzyku coś przejmującego, bo wokół uczyniła się wyspa ciszy... Coraz większa. A gdy wrzaski ucichły do szeptów tylko, zawołałem z głębi serca:

– Ludzie! Bracia! Obywatele! Czy po to człowiek przez tysiąclecia zmagał się z przyrodą, wydzierał jej tajemnice... Uczeni cierpieli nędzę i prześladowania... Czy po to bojownicy o postęp przelewali krew i gnili w kazamatach, żeby teraz...

– Ale pieprzy! – krzyknął ktoś z tłumu i zagwizdał na palcach.

– Co to za frajer?

– Pomylony jakiś?

– Z księżyca zleciał?

– ...żeby teraz narkotyzować się samogonem, tarzać w piachu, cofać się do epoki kamienia...

– Helka, kto to? – wrzasnął Zakała, wytrzeszczając na mnie swoje mętne oko. – Czy ja dobrze widzę? Czy to nie mafister?

– Tak! – odkrzyknęła. – Maciejak!

– Co? Maciejak?! I znowu o postępie gada, ancykryst?! Bij hada! – zawył Zakała, do ognia podskoczył.

I z głownią, rozpaloną głownią, rzucił się ku mnie.

– Aaa! – ryczał, pędząc z syczącą żagwią. – Zabije hada! Zgładze!

A za nim, wyjąc po indiańsku, rechocząc, rzucili się na mnie wczasowicze.

– W ogień misjonarza!

– Usmażyć!

– Ugotować!

– Ju-huuu! Ugotować!

Patyki, kamyki posypały mi się na głowę. Wystartowałem, zrazu wolno, ale już Zakała żagwią mi w oczy zaświecił – zasyczało – przyśpieszyłem – prześladowca prawie dotykał ogniem potylicy, z prawa i lewa zabiegali drogę rozwydrzeni letnicy z grabiami, kijami w łapach, pędzili mnie, dranie, prosto w rzekę.

– Chciałem cię z dna wydźwignąć, człowieku! – tłumaczyłem Zakale przez ramię, przemierzając plażę z dużą szybkością. – Ciebie ocalić i twoje dzieci!

– Milc, antykryście! – chrypiał nad karkiem. – Zatłuke, hadzie, zgładze na chwałe boze!

– Trzymaj, łapaj! – wyli barbarzyńcy.

Tuż przed molem pierwszy kamień świsnął mi nad uchem – skoczyłem – chlupnęło! O nie, nie dam się wam, degeneraci, jeszcze mnie popamiętacie, dranie, złoczyńcy, zarzekałem się na rzece, walcząc się z nurtem. A oni, ciskając we mnie patykami, piachem, szyszkami, biegli wzdłuż brzegu, ciesząc się.

– O, jak nurkuje!

– Jak rekin!

– Cha, cha, cha, ale sapie!

– Patrzcie, pod prąd chce płynąć!

– Płynie!

– E, za słaby.

– Nie da rady, burek...

– O, już z prądem...

– Dobrze mu zrobi taka kąpiel...

– Taki zimny prysznic...

Przestałem walczyć – z braku sił i aby nie robić draniom z siebie widowiska. Woda unosiła mnie bezwolnego. Chaty na wysokim brzegu bielały ślicznie, druty elektryczne na tle nieba czerniały jak pięciolinia muzyczna z wróbelkami-nutkami, a ja płynąłem w ubraniu, w pantoflach... tą samą trasą, którą jeszcze tak niedawno kontemplowałem na rowerze wodnym z moją piękną Malwiną... Co za siły wraże zakłóciły planowany bieg przemian, któż sprawił rozumowi takie urągowisko! A może... może to sprawka Horpyny?

Czyżby ona?...

Za wsią wygramoliłem się z rzeki i wyżąwszy ubranie, wpadłem do lasu, chlupot w butach wtórował moim krokom. Na przełaj, przez gęszczary i paprocie, nie zważając na ciernie i sęki, przedarłem się do chatki pod zielonym dębem, wściekły taki, że gdyby niedźwiedź wyszedł mi naprzeciw, powaliłbym go jednym uderzeniem pięści.

Ale nie wyszedł...

Stanąłem przed drzwiami, zdziwiony ciszą.

Tylko wąż przemsknął pod progiem, zresztą bezszelestnie. Pod ścianą poniewierały się zioła, walały grzyby.

Czyżby umarła Horpyna... i rozprzęgły się siły spinające bezład świata? Niedobrze, niedobrze z tobą, magistrze, jeśli już metafizykę dopuszczasz do głowy, skarciłem się w duchu i nacisnąłem klamkę.

Gdy oczy przyzwyczaiły się do mroku izby, ujrzałem w łóżku Horpynę. Leżała bez ruchu – chyba spała. U wezgłowia spoczywała gruba księga, zauważyłem tytuł: „Przyroda i technika". Po chacie buszował w rozprzężeniu zwierzyniec czarownicy: sowa wydziobywała kaszę z garnka, kot zadusił kruka i ogryzał kości, pióra walały się po podłodze. W kącie...

Cofnąłem się do progu!

W kącie niedźwiedź pił miód z lipowej dłubanki – gdy nasze oczy się spotkały, beknął ostrzegawczo... wstał, ale zachwiał się, opadł zadkiem na podłogę. Odbiło mu się. Był pijany jak bela.

– Horpyno! – zawołałem, nie za głośno, żeby zwierzęcia nie rozdrażnić, nie za cicho, żeby znachorka dosłyszała. – Co się stało, babko Horpyno?

Nie, nie spała – leżała na boku i apatycznie patrzyła w ścianę.

– Horpyno! – przyzwałem ją raz jeszcze do rzeczywistości.

Staruszka dźwignęła się nieco i wsparta na łokciach poznawała, kto przyszedł.

– A, to ty... – mruknęła niechętnie.

– Ja babko!

– A co taki mokry?

– A to niby Horpyna nie wie? – spytałem podejrzliwie.

– Skąd mam wiedzieć?

– Nawet jeśli to nie twoja, Horpyno, sprawka, to i tak powinnaś wiedzieć, co się stało. Ty przecież wszystko wiesz...

– Ja nic już nie wiem... – mruknęła gorzko. – I to przez ciebie, ty... ty nauczycielu...

– Przeze mnie? Przecież nic wam złego nie zrobiłem, babko! – zawołałem, poruszony, za dużo grzechów zwalano na mnie.

– O, przez to świństwo... – wskazała książkę. – Zaczęła ja czytać i... Ech! – westchnęła boleśnie, opadła na wyrko. – Utknęła ja w pół drogi... Ni w te, ni we w te... Książkowej wiedzy pojąć nie mogę. A swoją moc, tajemną, postradała ja... I czuję, że na zawsze! Jeszcze niedawno fraszką było dla mnie wagon cegły wam sprowadzić z daleka. A dziś? Ech...

Wtem niedźwiedź capnął ze stołka encyklopedię – rozsiadł się nad nią w kącie, szarpnął pazurami! Horpyna uniosła się na wyrku.

– Miszka! – sapnęła. – Oddaj książkę, to nie nasza!

A niedźwiedzisko, pomrukując mściwie, darło księgę w strzępy, kartki wirowały.

– Rozkazuję ci, przestań! – krzyknęła Horpyna. – Rozkazuję, czy nie słyszysz mnie, Miszka!

Zaklął ordynarnie... I kontynuował dzieło zniszczenia.

– Miszka! – zawołała wtedy Horpyna rozpaczliwie. – Ja cię zaklinam! Zaklinam ciebie na Peruna, na Wija, na Lelum Polelum: przestań! Miszka! Nie chcesz słuchać zaklinania? To ja proszę, Miszka! Słyszysz, proszę: przestań!

Schwyciłem kostur spod pieca, aby kosturem wytrącić zwierzowi nieszczęsną księgę. Ale niedźwiedź zaryczał dziko. Trzepnąwszy na odlew łapą, złamał Horpynowy kostur i zerwał się na nogi.

Opuścił łeb – dźwięk nieartykułowany z paszczy wydobył – i mnie odtrąciwszy na ścianę, huknął barkiem w drzwi: wywalił, przesadził powaloną sosnę i opadłszy na czworaki, pogalopował w las, w knieję!

– Opuścił mnie! – rozszlochała się starucha, duże, białe łzy wypłynęły na policzki, spełzały po zmarszczkach, brodawach. Bezzębne usta mamlały jakąś skargę, podbródek starczo dotykał nosa... Żal, żałość taka, jakby to ze mnie życie uchodziło, krew wyciekła – niewysłowiona żałość ścisnęła mi pierś.

Wtem sowa szurnęła przez okienko, kot czmychnął za nią jak ryś – Horpyna załkała głośno, ach, przejmujący jest płacz starych, co zbankrutowali nad grobem.

– Odwagi, Horpyno! – pocieszałem staruszkę, gładząc siwe zakurzone kosmyki. – Nie płacz, przyniosę ci nowe książki...

– Nie chcę twoich książek! – jęknęła. – Przez te twoje książki zmarnowała ja życie... O Boże, Boże... Bodajbym cie nigdy nie spotkała!

– Horpyno!

– Precz, precz z oczu, ty... niszczycielu!

– Och, babko...

– Jaka ja babka dla ciebie! – wydyszała nienawistnie. – Czego tu przylaz? Z czego jeszcze chcesz mnie obrabować, złodzieju!

Zakrztusiła się, rozkaszlała...

Trzęsącą się ręką podniosła z podłogi ułomek kostura, zamierzyła się... Nie czekałem, aż uderzy.

Z początku odwiedzali, zachodzili spytać, co mi jest, co dolega, czy aby nie zachorowałem po fatalnej kąpieli. Ale że najczęściej leżałem twarzą do ściany, nie odpowiadając ni na słowa współczucia, ni na pytania, orzekli, że trzeba dać mi spokój, dopóki kryzys nie minie. I dali. Czasem tylko Grzybicha postała dłużej nade mną, pokiwała głową z matczyńskim smutkiem. Malwina parę razy wstąpiła. Sołtys próbował zmobilizować do działania.

Drgnęło mi serce dopiero, gdy usłyszałem, że wczasowicze wyjeżdżają. Pod moim oknem siedzieli na ławce Grzybowie, sołtys, sołtysicha, złośliwie komentowali tryumf Zakały. Dolatywały pożegnalne okrzyki, śpiewy oraz rzewne melodie na skrzypcach.

Zwlokłem się z łóżka i stanąwszy przy oknie, oglądałem przez firankę sprawców mojej klęski.

Wychodzili z podwórza Zakały z walizkami i neseserkami, słomę mieli we włosach, siano na rękawach. Zakalicha stała z michą racuchów i częstowała na drogę, Zakalęta sprzedawały im z kosza poziomki i czarne jagody, Zakała przepijał samogonem. Podchmielony, objął poufale żonę okularnika.

– Hu, hu, aleć tobie, Magda, przybyło sadliska! – chwalił, obmacując. – I w sobie, i w kłębach! Ha, dajze jesce raz gapy, mazepo! Okularnik Zakalichę ściskał na pożegnanie, podszczypywał. A gdy przystąpił do Zakały, łez popuścił.

– Pamiętaj, Błazek: Świętokrzyska siedemnaście, jak bedzies w mieście, wstąp koniecnie! Ugościm jak rodzine...

– Dobra, Krzychu, wpadne! Zaraz po kopaniu! – obiecał Zakała, całując się z okularnikiem po bratersku. Wycałowawszy się, okiem rzucił w moją stronę, na widzów siedzących pod oknem. Łokciem trącił Krzycha.

– A te Chrancuzy, hi, hi! – cieszył się. – Majo za swoje co?

– Snoby! – mruknął okularnik.

– Zblazowani mędrkowie – dorzuciła Magda.

– Pozerzy! – poprawił ich ktoś trzeci, przystępując do Zakały, do jego pyska i butelki.

A pod oknem zazgrzytały zęby. To sołtys pomstował na zbuntowanych mieszczuchów.

– Prostoty im się, psiekrwiom, zachciało – przeklinał. – Prymitywu! Egzotyki!

– Pofrustrowali się w mieście – dodał Grzyb. – I śnią o pradziadach... Ubogich, ale szczęśliwych.

Pomilczeli chwilę. Ale nienawistne było to milczenie.

– A co z magistrem? – spytał sołtys. Na wszelki wypadek odstąpiłem od firanki. – Dlaczego nie był wczoraj na zebraniu?

– A, dajcie jemu spokój, biedaczkowi – powiedziała Grzybicha.

– Zamknął się, przeżywa... – dorzucił Grzyb.

– Nie je, nie pije... Leży, chudzinka, na łóżku, w ścianę patrzy. Z nikim nie rozmawia...

– Nie dał rady – orzekł sołtys. – Za poczciwy...

Zawarczało – autokar drgnął – ruszył – Zakalęta zerwały się do biegu, biegły za samochodem, Jaś na skrzypcach grał „Hej ode wsi do miasta, hej, gościniec prowadzi...", letnicy zakołysali zza szyb dłońmi na pożegnanie, Zakalicha rozpłakała się, oczy zapaską przesłoniła, Zakała zamachał obiema rękami w górę uniesionymi. Machał i machał, aż autobus przejechał most i przepadł w zieleni za rzeką...

A gdy tylko przepadł, rozległo się przeraźliwe gwizdnięcie na palcach. Wyjrzałem za okno.

Oto na sygnał dany przez sołtysa z Grzybowej stodoły wypadli wydmuszanie: z siekierami, piłami, bosakami, snopkami. Nie rozumiałem... Oto ni stąd, ni zowąd sołtys chwycił bosak i zerwał nim kabel elektryczny ze słupa!

Lipkowie uklękli z piłą i dalejże słup ścinać, jak sosnę w lesie!

Grzybicha i sołtysicha szurnęły do rzeki ławkę nadbrzeżną.

Tego było za wiele – wyskoczyłem przez okno na podwórze. I co ujrzałem?...

Ujrzałem Grzyba włażącego po drabinie na dach... wlazł Grzyb i eternit jął dziabać motyką, zrywać płyty gorączkowo!

I na innych dachach pojawili się gospodarze: tak samo zdzierali eternit, wyrywali stojaki elektryfikacyjne. Chłopcy rujnowali płoty, po podwórzach biegały baby ze snopkami, deskami, ceberkami.

Zachichotałem... Zachichotałem głośniej...

Roześmiałem się w głos, śmiałem się, śmiałem, śmiałem – bijąc się pięściami w kolana, tupiąc piętami. Zechciało mi się łopotać skrzydłami i wołać „kukurykuuu!!!"

– Czego rżysz, idioto! – warknął sołtys, rąbiąc siekierą molo, zajadle, krople potu jak grochy kapały po dewastowanych dechach.

– Czego? – chichotałem. – Śmieję się, bo świat zwariował!

– Nie, kochany... – wysapał, łupiąc molo, które budowaliśmy z takim zaangażowaniem i wysiłkiem. – Nie zwariował. Rzeczywistość cię przerosła... Na bok, nie przeszkadzaj: nowi jutro przyjeżdżają!

I przyjechali... Tak samo wychodzili z autokarów z walizkami, neseserkami, torbami sportowymi, znowu tacy sami: panowie w jasnych lekkich garniturach, panie w wydekoltowanych przewiewnych sukienkach, długonogie dziewczyny w krótkich spódniczkach, smukli chłopcy w obcisłych portkach.

Ale jakże odmiennie ich przywitano!

Siedziałem na ławeczce pod Grzybową chatą. Chichotałem, patrząc na cyniczne widowisko. Z kogo chichotałem? Z gości... Z gospodarzy... Z siebie.... Ze wszystkiego. Szyderstwo jest śmiechem tych, co przegrali.

Sołtys – bosy, w koszuli luźnej, wypuszczonej na portki – stanął przed gośćmi z chlebem i solą na białej szmatce. Pokłonił się nisko, pokornie.

– Witajcie nam tu z Bogiem, panowie mafistry, fizyki, uzędniki, doktory, kuśnieze, zygarmajstry! Dziękujem wam pienknie i mówim Bógzapłać, ze nasymi Wydmuchami nie pogardzili i pszytyndrali sie tutaj do nasz w gości! – wygłosił z pamięci, mazurząc sowicie gdzie trzeba i nie trzeba. – Wypocywajta, psiajuchi, hasajta, ha, ha, ha, i mocy nabierajta!

Oklaski były mu odpowiedzią, uśmiechy, rozgwar życzliwy. Ale już dwóch Grzybów za łby się wzięło – baby rwetes podniosły:

– O Jezusie, bijosie! – piszczały. – Ratunku, zabijosie! Kref, Jezu, kreff!

To Jędrek i Cesiek, za orzydle się chwyciwszy, mocują się nieustępliwie, po chamsku, jak to na wsi. Goście krzyczą przerażeni, jedni uciekają, drudzy cisną się, by nic ze sporu nie uronić – a oni szarpią się, stękają od razów, padają, wstają! Wreszcie Jędrek charakterystycznym chłopskim ciosem w mordę wybija młodszemu dwa zęby, na ziem powala, bierze pod nogi!

– Bij! – krzyczą baby wydmuchowskie. – Zabij! Na amen!

– Zabił! – trwożą się goście. – Rety, zabity!

– Nu to co, ze zabity? – bagatelizuje sołtys. – Toć oni bracia... zywemu więcej ojcowizny sie dostanie! A tu, kochane ludzie, wcasowisko... wybaccie, ze ono biedne, ale my tutaj naród prosty, nieucony...

Goście patrzą, kiwają głowami ze zrozumieniem... Oto na brzegu mokną wiejskie krypy. Baby przy brzegu piorą szmaty kijankami, popodwijały spódnice, odsłaniając białe uda. Biją kijankami i śpiewają coś ludowego. Gęsi pływają po rzece stadami. Przy brzegu krążą owieczki i krowy...

– Ładnie tu! – chwalą przybysze, szczęśliwi, rozmarzeni. – No, nareszcie kawałek prawdziwej przyrody...

– Prawdziwa wieś, nietknięta trądem cywilizacji...

– Cisza i spokój...

Szklane ściany obili, oszuści, z zewnątrz i od wewnątrz dechami, budynek przypominał raczej szopę, dziwaczną stodołę, niż hotel! Muszlę nadwodną rozmontowali, krąg taneczny przydewastowali siekierami, że niby od hołubców, część kajaków zatopili, część ukryli po stodołach.

– Tak, ludzie, bedziecie spali na sianie, bo u nas tapcanow ni ma – łgał sołtys bez zmrużenia oka. – U nas tu zwycajnie, jak to na wiosce.

Wtem wypadł zza wydmy Zakała – z pola leciał: rozwarł ręce do witania, z daleka wyszczerzył się rzadkimi zębami w szczęśliwym okrzyku:
– Do mnie, ludziska! – woła. – Do mnie, o, tam zachodźcie! Do mnie! Sołtys naskoczył na niego z pięściami.
– A pójdzies! – warknął. – Won stąd, złodzieju! Zakała odskoczył.
– Co? Ja złodziej? To wy złodzieje! Klientow moich zabieracie! Hej, ludzie! – zawołał. – Do mnie chodźcie, ich porzućcie! Toć te chłopy przebierane so! To osukańce!
– Co? Osukańce? – zaprzeczył natychmiast sołtys, jako że wczasowicze nastroszyli się czujnie. – Takie same my chłopy jak i ty!
– Wy chłopy? Wy pany! Pany! Ja chłop, ręce mam całe w mozołach. O, jakie carne! – uniósł Zakała swoje łapy.
– A moje nie carne? – machnął dłońmi sołtys. – Tyz carne! O, patrzajcie, panowie! Spracowane chłopskie ręce!
– Gówno, nie spracowane! – odkrzyknął ordynarnie Zakała. – Od pimpąga spracowane? Faryzeusy to – oni tu wsytkie cytać umiejo!
– Co, kto? – grał sołtys. – Ja cytać? – Wyszarpnął wczasowiczowi gazetę: – Jej Bohu, o, patrze i nic nie pojmuje, co tu napisane! Ani be, ani me! Ja – cytać...

Kto wie, czy nie do demaskacji doprowadziłaby ta kłótnia, gdyby nie Grzyb Maciej: złapał brata pod boki, powalił na ziemię i niby okładając go pięściami, coś szepnął... Od razu bronić się przestał Błażej, udobruchał.
– Trzeba tak było ze mno od razu – rzekł, otrzepując się z piachu.
– Nu pewnie, la wsytkich tego mrowia starcy...
A przybysze już wokół Malwiny się stłoczyli, dziewki lnianowłosej a cycatej.
– Kwiaty! – woła Malwina nad koszem z bukietami i wiązankami.
– Dzikie kwiaty, polne i łąkowe, nase, wydmuchowskie, po złotemu, komu, komu, bo ide do domu!
Goście podziwiają, cmokają, oglądają, nie dowierzają.
– Piękne, przepiękne! Aż nie chce się wierzyć, że prawdziwe...
– Prawdziwe, prawdziwe. Ale jak śtucne! – zachwala Malwina. – Jak śtucne!
– A to? Co to? – pyta ktoś. – Fiołki?
– Fiołki!

– A to?

– To?... – Malwina zmieszała się. – Zawilce!

– E, zawilce? – zwątpił brodacz, chudy i smutny, o beznadziejnych oczach onanisty. – Przecież zawilce dawno już przekwitły...

– Nase kwitno tera! – broni się Malwina.

– A to? – pyta melancholik.

– Golgony!

– A to?

– Ziebutki! A to mandrony! – improwizuje Malwina bez zmrużenia oka. – Koralatki! Perswazje! Kurejki! Cepelie! Zapadki!

– Zapadki? – przystopował dziewczynę melancholik onanista. – A przed chwilą mówiłaś, że mandrony?

Malwina nie dała się zjeść w kaszy.

– A tak! – odparła. – Bo u nas jedne mówio na to zapadki, a drugie mówio mandrony!

A tu już Maciej w maciejówce nadciąga, ze scyzorykiem i drewnem lipowym w ręku. A nogą powłóczy, a gębę rozdziawia, prostaczka rżnie, artystę polnego.

– Same Frasobliwe! – ogłasza. – Cały święty za jedne sto złoty. Do mnie krześcijany, do mnie!

A jakże, już go wianuszkiem otaczają, do koszyka sięgają, figurki macają, a cmokają, a przeżywają.

– Ileż to ma wyrazu!

– A jakie proste!

– Ech, ludowy artysta! Taki to szczęśliwy!

– Pasie sobie krowy i dłubie pod wierzbą rosochatą! Czy nie tak, człowieku? Was nie obchodzą style, mody?

– A juści – stary na to. – Aby na chwałe Boze!

– Ale one jeden w drugiego... – zwrócił uwagę melancholik. – Jota w jotę... Jak spod strychulca...

– No nie? – ucieszył się ojciec. – Jak chwabrycne, prawda?

– A to nie wiecie, że każdy powinien być inny?

– Jak to inny? Jednakie so! Bo ja ręce mam złote!

Melancholik rozjaśnił się, uwierzył.

– Tak, panowie, to autentyczny rzeźbiarz ludowy! Prymitywny jak stołowa noga! Hej, człowieku! – sprawdził na wszelki wypadek. – To wy naprawdę nie wiecie, co to konwencja?

– Konwencja? – zbaraniał Maciej. – U nas gada się konewka... Konew... Konwencja to musi być duza, stulitrowa?

– Cha, cha, cha! – śmieją się. – Stulitrowa!

– Stulitrowa konwencja...

– Kapitalny...

– Macie tu, człeku, sto złotych za świątka. Ale cóż sto złotych wobec takiego dzieła... symbol zaledwie...

– Nu to mas tu drugiego Jezuska – Grzyb na to – i daj jesce symbola... Nie wiadomo kiedy mnie otoczyli. W oczy zaglądają, trącają palcami, zadają idiotyczne swoje pytania. Nie odzywałem się – cóż mogłem mieć do powiedzenia w tym targowisku obłudy ja, człowiek uczciwy?

– Kto to? – szwargoczą babsztyle, pozerki, snoby, pseudointelektualiści, pseudoludzie. – Dlaczego on taki oberwany? Brudny? Czemu nieogolony? Co za nieszczęście go dotknęło...

– To pomylony! – ogłasza sołtys. – Ni to święty, ni ucony. Po nasemu – nawiedzony!

– Ach, nawiedzony...

– Może prorok?

Ktoś wepchnął mi w rękę monetę. Jakieś dziewczę dało cukierka. Facet podetknął mi pod nos mikrofon, prosi, żebym co powiedział dla radia. Albo zaśpiewał. Najlepiej coś mistycznego!

– Zmiłujcie się... Ja nic nie winien... Ja nic nie wiem... – wymamrotałem. Spokoju chciałem, tylko świętego spokoju...

Melancholik, okulary założywszy, wypatrzył za rzeką coś niepokojącego.

– Hej, ludzie! Co to? – zawołał zgorszony. – Słup? Słup elektryczny! To wy elektryczność macie?!

– A tak – machnął ręką sołtys. – Wpychali sie tu do nas z tom elektrykom, a tfu... Siło zrobili! Ale jak tylko pojechali, to my zaraz szast! prast! poobrywalim te ichnie droty i fazy!

– Bo ta elektryka na zdrowie skodzi! – wtrąciła Grzybicha. – Suchoty od tego!

– I kotłun! – dorzuciła sołtysicha.

– Tak, tak – pokiwali głowami chłopi. – I jaglica! I krzywica! I świerzb!

Oszukiwali gości, aż się kurzyło. A ci, oczarowani prostotą ostatniej zacofanej wsi w kraju, rozleźli się po ośrodku i okolicy. Jedni opalali się na piasku, inni brodzili po rzece z kłomlami i więcierzami. Kłusownictwa wolnego zażywali. Wielu poszło z kobiałkami do lasu. Młodzi rozpalili ognisko i tańczyli wokół, skakali przez płomień. Kobiety włóczyły się po pastwisku, zaczepiały zwierzęta. Mężczyźni golili samogon z Lipkami. Sołtys i ojciec podeszli do mnie. Popatrzyli, pokiwali głowami.

– A może byś się włączył, Marian? – spytał ojciec troskliwie.

– Zostawcie mnie w spokoju, oszuści! – parsknąłem nienawistnie.

– Oszuści? Oho, poczciwiec... – mruknął sołtys. – Zapomniałeś, jak namawialiśmy do elektryki?

– A nie mówiłeś to do mnie „panie Grzyb"? – przypomniał ojciec.

– Odczepcie się... – poprosiłem. – Chcę żyć w spokoju...

– A kto to wszystko zaczął, a? – przyparł sołtys. – Rozkręciłeś... A jak się wszystko skomplikowało, chcesz umyć rączki, bratku?

– Świat skomplikowałeś, a ludzie, chciałbyś, żeby się nie skomplikowali? – dorzucił ojciec. – Opanuj się, Marian. Mamy dla ciebie świetną rolę. Hej, Malwka! – zawołał dziewczynę. – A cho no tu!

A gdy przyszła z koszem kwiatów, wyjawili jej swój plan: postanowili oto fundnąć tym frajerom ludowe wesele. Ale nie darmo. Zapłaciliby goście składkowe.

– Wyjdź za niego! – rzekł ojciec, mnie wskazując głową.

Malwina wzruszyła ramionami.

– Po co? Czy to nie mogę żyć z nim bez ślubu? Ślub nie ma dla mnie żadnego znaczenia.

– Oho, skoro się tak wzbraniasz, widać ma. Właśnie ślubując wykazałabyś, że ta formalność jest dla ciebie niczym – rzekł sołtys.

– Jeśli tak bardzo wam na tym zależy, mogę...

– Ale ja się nie zgadzam! – zawołałem oburzony. – Nie zgadzam się...

– O! A dlaczego?

– Bo to oszustwo!

– No to co, że oszustwo? – zaśmiał się sołtys.

– A to, że człowiek, który oszukuje, nie może być szczęśliwy.

– Ech, magister, magister – westchnął sołtys. – Szkoda czasu na gadanie, wynik i tak przesądzony. Czyż nie jesteśmy ludźmi inteligentnymi?

– To co, że jesteśmy?

– A to, że człowiek inteligentny to taki, który umie uzasadnić wszystko.

– Nawet świństwa?!

– Zwłaszcza – zaśmiał się sołtys. A ojciec dodał refleksyjnie:

– I stąd może taki pęd do oświaty...

– O, nie, cwaniacy, nie wmówicie mi, że czarne to białe!

– Białe, czarne, co za różnica... – machnął ojciec ręką, zrezygnowany. – Konwencja to wszystko, Marian... cha, cha, cha – stulitrowa konwencja...

– No więc jak? – spytał mnie sołtys rzeczowo.

Płakać mi się chciało z bezsilności.

– Czuję się tak – powiedziałem – jakbym zasadził las... I drzewa mnie przerosły... I teraz stoję w lesie zbłąkany, i nie wiem, w którą stronę iść...

– Z nami chodź – doradziła Malwina przyjaźnie. – Z żywymi ludźmi...

– Zrobimy weselisko, że hej! – ucieszył się sołtys. – Chłopskie, ludowe. Ba, arcyludowe!

Grzyb miał mniej entuzjazmu.

– Hm.... Ludowe ma ono być, ale czy kto pamięta, jak to idzie? – rzekł zakłopotany. – Co się śpiewa? Co gada? Co tańczy?

Zamilkli. Zastanawiali się.

– Są tam jakieś rozpleciny... I zdaje się oczepiny – wytężyła pamięć Malwina. – I pokładziny, czy coś w tym rodzaju. Widziałam w telewizji...

– Rozpleciny, oczepiny... – powtórzył Grzyb, kręcąc głową. – To nazwy tylko. Co pod tymi nazwami – oto problem.

– Rzeczywiście, problem – potwierdził sołtys. – Cholera, wywietrzało wszystko... Nic a nic nie pamiętam.

– Już z kwiatami miałam trudności – przyznała się Malwina. – Nie pamiętam, jak się nazywają...

– Kwiaty? – Sołtys wyglądał na zaskoczonego. – Nie, Malwina, tego nie można zapomnieć... Przecież...

Ale Malwina wyjęła z kosza jakiś niebieski kwiat z drobnymi płateczkami i, uśmiechając się, spytała, co to.

Nie wiedzieli. Obejrzeli, powzruszali ramionami. I nic.

– Zapytajmy żonę – rzekł Grzyb. – Ona tak kocha kwiaty. Hej, Jańcia! A cho no tu, babo! – krzyknął ordynarnie, bo wczasowicze wołanie słyszeli.

Przyszła Grzybicha, stanęła nad kwiatami. Powiedzieli, o co chodzi.

– Jak się nazywają? – Uśmiechnęła się pewna siebie, wzięła kwiat w rękę, pogłaskała. – Ten na przykład... – Zawahała się. – Hm, taki niebieski... Chaber?... Czy bławatek?...

– Może fiołek? – pomogła Malwina.

– Nie, to za duże na fiołka... Niezapominajka też mniejsza... Co to jest?...
Malwina wyjęła z kosza inny kwiat, o zielonej grubej łodydze, żółtych kwiatuszkach.

– Czy to nie dziewanna? – spytała.

Grzybicha wzruszyła bezradnie ramionami.

– No, przypomnij sobie! – nacisnął Grzyb. – Czyżbyś przestała ko-
chać kwiaty?

– Kocham, kocham... – wyznała Grzybicha. – Może to podróżnik?

We czworo skupili się nad rośliną. Zmarszczyli brwi, wytężyli pamięć.

– Może rumianek? – zastanawiali się.

– A czy nie suchotnik?

– Może stokrotka?

– Nasięźrzał?

– Storczyk?

– Dzięcielina?...

Grzybicha opuściła ręce bezradnie.

– Wiem na pewno, że nie róża. Różę dostałam od Macieja na imie-
niny. Była czerwona i większa.

– A nie można dojść po zapachu? – doradził sołtys.

– Właśnie! – ucieszyła się Malwina. Powąchała. – Pachnie czymś
znanym – stwierdziła.

Grzyb powąchał.

– Tak, bardzo znanym... – przytaknął. – Ale czym?

Grzybicha powąchała.

– Szprotami! – orzekła.

Sołtys powąchał.

– W oleju! – ustalił ostatecznie. – Po sześć pięćdziesiąt puszka.

Malwina włożyła nieszczęsną roślinę między inne zapomniane
kwiaty.

– No i co z tym weselem? – spytała.

Milczeli, zafrasowani nauczką.

Aż Grzyb znalazł wyjście z impasu.

– Sięgniemy do źródeł naukowych – rzekł. – Jest Kolberg w biblio-
tekach, są nuty, płyty. Postudiujemy, poćwiczymy. I zrobimy takie wesele, że letnikom oczy na wierzch powyłażą!

– A może... – wtrąciła Grzybicha. – Może zapytać Zakalichę? Ona taka staroświecka, zacofana... powinna jeszcze pamiętać dawne czasy... Grzyb skrzywił się.

– A jeśli pamięta? To co pamięta? Te prawdziwe nasze wesela – bidne, skąpe, z nożami, pijakami. A my chcemy telewizję zaprosić, rozumiesz? Wesele musi być prima sort!

– I będzie! – oświadczył sołtys.

O, szykowne ono było, to nasze wesele, zobaczyli wczasowicze obrzęd jurny i praśny! Gdyśmy do ślubu odjeżdżali, Malwina padła do nóg ojca i zawyła rozdzierająco, łzami chlusnęła – pstryknęły fotoaparaty, magnetofony, zaterkotała kamera, dziewczęta zapiszczały pieśń o gościńcu, baby o weselu, że jedzie, kapusta kiśnie, a młody młodą za cycki ciśnie... Lidka, starsza druhna, sypnęła po publice weselnymi słodkimi gąskami – jak kury rzucili się, każdy chciał wyłowić coś z piachu na pamiątkę. Furmani strzelili z batów i ruszyliśmy – z orkiestrą i śpiewami. Wprawdzie fur i koni starczyło zaledwie dla młodej pary, dziewosłębów i starszego drużby z druhną i musieliśmy u Wyprostka – „tego ancykrysta, co jeden w naszej wiosce obycaju nie sanuje i okolice masynami smrodzi” – pożyczyć traktor z przyczepą, ale dzięki temu wczasowicze zobaczyli całą ceremonię zaślubin. A jakże, ślub odbyliśmy z organami i świecami, ksiądz mszę odprawił, a podczas podniesienia to tak zadudniliśmy kułakami w piersi, że aż musiał się ornatem zasłonić, żeby letnicy uśmiechu nie zobaczyli. Duszpasterz młody był i nowoczesny – kazanie wypalił o piekle, niebie, Panience Przenajsłodszej i Panu Bogu Wszechmogącym, stylowo sadził, oczy mu rozbłysły wiarą, nadzieją i miłością, zapłakaliśmy z Malwiną, wczasowiczom się udzieliło, też załkali – ksiądz do mnie oko puścił, skończył, dyskretnie zainkasował, pojechaliśmy. Konie wódką w czasie mszy, jak obyczaj nakazuje, podpojone, rwały do domu na wyścigi, kopyta zadzierając po junacku, Wyprostek cały czas nadążał za nami na trzecim biegu... Pod chatą ociec i matula, siermiężni, czekali z chlebem i solą – ja Malwinę w welonach i mirtach z fury zniosłem – pobłogosławili – przez próg przeniosłem. Ale biesiadę wyprawiliśmy pod niebiem, na podwórzu okolonym zielonymi brzózkami. Toż to było radości i pijatyki, za stołami uginającymi się od ludowego jadła i napitku! Wczasowicze rozpływali się ze szczęścia, hej, precz kulturo, niech żyją wakacje, urlop od cywilizacji, konwenansów i manier! Mięcho, żur, kapustę palcami żreć, przepijać samogonem z jednej szklanki, pieśni starodawne ryczeć, kawały słone sypać, za kolana, za cycki łapać!

– Gorzkiee! – zawołał Zbycho, starszy drużba. – Gorzka wódka! – i cały akt weselny podchwycił z zapałem!... – Gorz-ka wód-ka! Gorz--ka wód-ka! – Ja Malwinę obłapiłem, ale oho, nie od razu do gęby przypuściła... mężczyznom oczy chucią rozbłysły. Aż zapłoniwszy się cudnie, o, do perfekcji opanowała układ sympatyczny, w jagody pocałować się dała!

Entuzjazm ogarnął weselników, bratać się zaczęli wiejscy z miejskimi, o sojuszu bredzić, pić, przepijać dubeltowo. – Tańczyć! Tańczyć! – zawołano i orkiestra chwyciła za instrumenty: Ryś Nasiadko na harmonii zacinał, Janko Muzykant na skrzypce, Cybulko i Pogorzelak w bębny bili! Na dechach tańcowaliśmy, pod gołym niebem, sołtys rej wiódł: a to kółecko nakazywał, to panienki do śródecka, panienki w lewo, kawalerowie w prawo, panienki rzucają chustecki w górę, kawalerowie łapią najślicniej haftowane... i tak dalej. Zakała podpił, wyśpiewywał, tańcował oberki jak młodzik, wczasowiczki podszczypywał, do wczasowiczów przepijał, a oni, szczęśliwi, kręcili, przytupywali, ściskali, obmacywali się, a nawet dla zasady za łby się brali. Mężczyźni Malwinę rozrywali, każdy przecie chciał obłapić z raz mołodycię. Ja – wiejskiego byczka, chwata, osiłka grałem, wszystkie wczasowiczki musiałem obtańcować, pooblapiać, zwymacać... Wokół desek starsi stali, przepijali już prosto z butelek, Grzyb ledwo stał na nogach, słaniał się.

Podszedłem. Do melancholika przepijał, jemu też się z czupryny kurzyło.

– Powiem ci coś, Zbyszek... – bełkotał, przepijając. – Ale w tajemnicy! Nikomu ani mru-mru! Kiepsko ze mną... Kiepsko... Mam coraz wyższą stopę. Kiełbasę żrę. Faulknera czytam. Ale czuję się podle. Załgany jestem...

– Cha, cha, cha! Wy, Macieju, Faulknera? – zaśmiał się melancholik.

– O czym wy, tatko, bredzicie! – upomniałem starego. – O krowach gadajcie! Pogodzie! Urodzaju...

– Załgany! – uparł się Grzyb. – Powiem ci, Zbyszek... ale w tajemnicy! Nie ma już wsi. Prawdziwej wsi. Nie ma. Wszędzie miasto. To załgane nowoczesne miasto. Wioska też miasto. Gorsze miasto, ale miasto!

– Spać, tatko! – rozkazałem i wziąłem pod pachy. Ale szarpnął się, wyrwał mi z rąk... Pociągnął długi nokautujący łyk i cisnął pustą flachą o drzewo.

– Jezu... – jęknął, w sztok pijany. – Ja już nie wiem, kiedy gram, a kiedy nie. Przedrzeźniam – ale kogo? – I nagle tryknął głową w drzewo. – Jezu, kto ja? Kto ja, ludzie! – zawył na całą okolicę. Ale już sołtys nadbiegł, we trójkę opanowaliśmy jakoś desperata. Chwyciwszy pod pachy, wlekliśmy do domu.

– Ot, schlał sie! – tłumaczył sołtys zaniepokojonym letnikom. – I daj głupiemu wódki...

– Ludzieee, kto ja? – rozpaczał Grzyb, szamocząc się z nami, kopiąc.

– Kto? Prostak czy mózgowiec? Ludzieee! Poczciwiec czy świnia...

– Nic to, nic... – uspokajał sołtys publikę. – Ot, bredzi po pijanemu. Ale wyśpi sie, wytrzeźwieje i jutro znowu bedzie do sensu.

Zawlókłszy Grzyba do chaty, rzuciwszy na łóżko, wróciliśmy na dechy, aby zatrzeć niemiłe wrażenie po incydencie. Z dubeltową ludowością i wigorem ruszyłem w tany. I tańczyłem, tańczyłem, dysząc ostatkiem sił, przytupując miękkimi nogami.

Tak do zachodu. A gdy słońce zaszło, pozostawiwszy na chmurkach różowe odblaski, gdy na wschodzie wysunął się zza lasu księżyc – wielki, czerwony – zatańczyłem z Malwiną kujawiaka i w ludowych posuwach powiedziałem, że już dłużej tego nie wytrzymam i że chciałbym choć na chwilę odpocząć od tej maskarady. Wymknęliśmy się więc z tanecznego kręgu, byłem pewien, że sami... czyż mogłem wiedzieć, że sołtys skinął ręką na kilkoro ciekawskich? Zmierzchało. Szliśmy z Malwiną przez wydmę, ścieżką w las.

– Czy cię nie mierzi to wszystko? – spytałem.

– Co?

– To udawanie!

– Oj, Marian, Marian... – westchnęła. – Nie bądź taki serio... Przecież oni też udają.

– Kto?

– Wczasowicze. Udają, że nie wiedzą, że my udajemy...

– Więc wiedzą? – Zbaraniałem. – No to po co to wszystko? Po co!

– Jak to po co? – westchnęła. – Coś trzeba robić...

Przestawałem rozumieć... wszystko wirowało... Te drzewa o smukłych białych pniach... jak się nazywają? Już i one wymykały się pamięci...

101

– Może brzozy? – powiedziała Malwina. – Pamiętam z filmów, mają taką białą korę...

– Brzozy?

O Boże, brzozy! Biała kora... słodki sok... zielone gałęzie... Boże, jaki ja kiedyś byłem szczęśliwy!

– Malwino! – zacząłem głosem drżącym od tęsknoty. I nadziei. – Malwino... Maskarada maskaradą – ale ty i ja... Kiedy jesteśmy sami, to wydaje mi się że przecież można... Że moglibyśmy... ty i ja... Szczerze... Że jakoś...

Położyła mi rękę na ustach – obejrzała się czujnie. Coś w mroku szeleściło za nami.

– Oj, cha, cha, cha, cha, cha! – roześmiała się na cały las i niespodziewanie złapała mnie wpół... podcięła nogi, obaliliśmy się w trawę. – Oj, widzicie go, psiajuche, jaki nacepny! – rozwrzeszczała się. – O Jezusicku, scypie, o Matko Boska, majtki mi zbereźnik drze! Jedwabne ślubne majtki!

Nawaliłem się na nią nachalnie, welony i kiecki zadzierając przepisowo, jak praojce. Nad nami stali letnicy.

– Oj, udusis! – darła się Malwina. – Ooo! O, Jezusicku! O, Jezus... Oj, zamordujes ty me, Chrancuzie... Oj...

Ze cztery ich było, czarnych sylwetek. O witalności gadali.

– Parzą się! No patrzcie, parzą się! – podziwiali.

– Na gołej ziemi!

– Ech, pieprzny ten ludek przedindustrialny...

– Ogień w żyłach!

– Są jeszcze na świecie ludzie szczęśliwi!

– Autentyczni...

– A mnie... – poznałem głos melancholika onanisty. – A mnie coś się widzi, że oni udają...

– Coś ty? Udają?

– Jacyś tacy...

– A o którym udawaniu mówisz? O tym dla nas, czy między nimi?

– E, nie udają... Patrz, jacy żywiołowi...

– Spontaniczni!

– Kiedy ta ich spontaniczność jakaś taka...

– Może zmęczeni?

– Któż dziś nie jest zmęczony?

– No, chodźmy...

Głosy cichły. Malwina leżała z odchyloną daleko głową, rozwarty-
mi oczyma patrzyła poza siebie, na księżyc czerwieniejący za drzewa-
mi o smukłych białych pniach. Wyglądała na znużoną, ale – szczęśliwą.
Grała?

– Poszli, Malwino – powiedziałem. – I co teraz?

– Wracajmy – odpowiedziała. – Tańcować.

Dźwignęliśmy się. Księżyc płonął. Gołym okiem widać było na nim
pasy leśne i rowy nawadniające.